Vittorio le vampire

Du même auteur

LES CHRONIQUES DES VAMPIRES

Entretien avec un vampire (Pocket)
Lestat, le vampire (Albin Michel, Pocket)
La Reine des damnés (Olivier Orban, Pocket)
Le Voleur de corps (Plon, Pocket)
Memnoch le démon (Plon, Pocket)

NOUVEAUX CONTES DES VAMPIRES

Pandora (Plon)

LA SAGA DES SORCIÈRES

Le Lien maléfique (Laffont, Pocket)
L'Heure des sorcières (Laffont, Pocket)
Taltos (Laffont, Pocket)
Le Violon (Plon)
La Voix des anges (Laffont, Pocket)
Les Sortilèges de Babylone (Laffont)
La Momie (Pocket)

LES INFORTUNES DE LA BELLE AU BOIS DORMANT

Initiation (Laffont)
Punition (Laffont)
Libération (Laffont)

ANNE RICE

Vittorio le vampire

Nouveaux contes des vampires

Roman

Traduit de l'anglais (États-Unis)
par Airelle d'Athísz

Plon

Titre original

Vittorio, the vampire

© Anne O'Brien Rice, 1999.
© Plon, 2000, pour la traduction française.
ISBN édition originale Alfred A. Knopf Inc. and Alfred A. Knopf
Canada : 0-676-97186-5
ISBN Plon : 2-259-1

Ce roman est dédié à
Stan, Christopher, Michele et Howard,
à Rosario et Patrice ;
à Pamela et Elaine ;
et à Niccolo.

Ce roman
est dédié
par
Vittorio
aux habitants de
Florence.

1

QUI JE SUIS, POURQUOI J'ÉCRIS,
CE QUI DOIT ADVENIR

Tout jeune, j'ai fait un rêve effroyable. J'ai rêvé que je serrais dans mes bras les têtes coupées de mon petit frère et de ma petite sœur. Elles étaient parfaitement immobiles et muettes, avec leurs grands yeux palpitants et leurs joues rougies, et j'étais tellement horrifié que, pas plus qu'elles, je ne pouvais émettre le moindre son.

Ce rêve est devenu réalité.

Mais personne ne pleurera, ni sur moi ni sur eux. Ils ont été ensevelis, sans nom, sous cinq siècles de temps.

Je suis un vampire.

Mon nom est Vittorio, et je rédige aujourd'hui ce récit dans la plus haute tour du château en ruine où j'ai vu le jour, au sommet d'une colline, à l'extrême nord de la Toscane, cette terre belle entre toutes qui est le cœur même de l'Italie.

À quelque aune qu'on me juge, je suis un vampire remarquable, très puissant, ayant vécu cinq cents ans depuis la grande époque de Cosme de Médicis, et même les anges attesteront de mes pouvoirs si vous pouvez les amener à vous parler. Soyez tout de même prudents.

Je n'ai cependant rien à voir avec cette bande d'étranges vampires romantiques du Nouveau Monde, de la cité méridionale de La Nouvelle-Orléans, qui vous ont déjà régalés de tant de contes et de chroniques.

Je ne sais rien de ces héros d'événements macabres déguisés en fiction. Je ne connais pas leur paradis charmeur des marais de Louisiane. Vous ne trouverez dans ces pages nulle information nouvelle sur eux, ni même d'autre mention que celle-ci de leur existence.

Ils m'ont néanmoins mis au défi d'écrire l'histoire de mes propres débuts — le récit de ma transformation — et de jeter, pour ainsi dire, sous forme de livre, ce fragment de mon passage dans le vaste monde, où il pourrait entrer en contact, par hasard ou par nécessité, avec leurs volumes justement renommés.

J'ai traversé les siècles de ma vie de vampire en vagabondages savants et en études pénétrantes, sans jamais représenter la moindre menace pour ma propre espèce ni éveiller sa curiosité ou ses soupçons.

Mais ceci n'entend pas être le récit de toutes mes aventures.

C'est, comme je l'ai indiqué, l'histoire de mes débuts. Car je crois avoir des révélations à faire qui seront totalement inédites pour vous. Peut-être, lorsque mon livre sera achevé et sorti de mes mains, pourrais-je alors prendre des dispositions pour devenir un personnage de ce grand roman-fleuve entamé par d'autres vampires de San Francisco et de La Nouvelle-Orléans. Pour l'heure, je ne puis le savoir, ni ne m'en soucie.

Tandis que je passe ici des nuits paisibles, au milieu des pierres envahies par la végétation de ce lieu où j'ai été si heureux étant enfant, des murailles à présent détruites et méconnaissables sous les ronciers impénétrables et les forêts odorantes de chênes et de châtaigniers, je suis obligé de rapporter ce qui m'est advenu, car il semble que j'aie souffert un sort qui ne ressemble à celui d'aucun autre vampire.

Je ne rôde pas toujours en ce lieu.

Bien au contraire, je passe le plus clair de mon temps dans cette cité qui est pour moi la reine de toutes les cités, Florence, que j'ai aimée depuis le tout premier jour où je l'ai découverte à travers des yeux d'enfant, en ce temps où Cosme l'Ancien dirigeait lui-même la puissante banque Médicis et où il était l'homme le plus riche d'Europe.

Dans la maison de Cosme de Médicis vivaient le grand

sculpteur Donatello, qui travaillait le marbre et le bronze, ainsi que des peintres et des poètes à foison, des auteurs d'ouvrages ésotériques et des compositeurs. Le grand Brunelleschi, celui qui avait édifié la coupole de la plus grande église de Florence, se consacrait alors à une nouvelle cathédrale, et non seulement Michelozzo reconstruisait le couvent Saint-Marc, mais il bâtissait pour Cosme le palais que le monde entier connaîtrait plus tard sous le nom de Palazzo Vecchio. Des hommes sillonnaient l'Europe entière aux frais de Cosme pour rechercher dans des bibliothèques poussiéreuses trop longtemps oubliées les classiques de l'Antiquité grecque et latine que les érudits de Cosme traduiraient ensuite dans notre italien, la langue que Dante avait hardiment choisie bien des années plus tôt pour sa *Divine Comédie*.

Et ce fut sous le toit de Cosme que je vis, enfant mortel au destin prometteur — oui, que je vis de mes propres yeux —, les nobles invités du Concile qui étaient venus jusque de la lointaine Byzance pour rapprocher les Églises d'Orient et d'Occident : le pape Eugène IV de Rome, le patriarche de Constantinople et l'empereur d'Orient en personne, Jean VIII Paléologue. Je vis ces grands hommes pénétrer dans la ville sous une effroyable tempête de pluie mais néanmoins dans une gloire indescriptible, et je les vis dîner à la table de Cosme.

Suffit, pourriez-vous dire. Je vous l'accorde. Ceci n'est pas l'histoire des Médicis. Mais laissez-moi seulement vous dire que quiconque affirme qu'ils étaient des scélérats — ces grands hommes — est un parfait imbécile. Ce sont les descendants de Cosme qui ont pris soin de Léonard de Vinci, de Michel-Ange et d'innombrables artistes. Et tout cela parce qu'un banquier, un prêteur si vous préférez, trouvait bon et grand de conférer beauté et splendeur à sa ville de Florence.

Je reviendrai à Cosme le moment venu, et très brièvement encore, bien que je doive avouer avoir des difficultés à faire bref ici sur quelque sujet que ce soit, mais pour l'instant, laissez-moi vous dire que Cosme appartient aux vivants.

Je repose parmi les morts depuis 1450.

Il est temps de raconter comment cela a commencé, mais permettez-moi encore un préambule.

N'attendez pas de moi une langue archaïque, je vous en prie. Vous ne lirez pas une prose artificielle fabriquée de toutes pièces : ici, nulle diction guindée, nul vocabulaire corseté pour évoquer les murailles d'un château quelconque.

Je raconterai mon histoire de manière naturelle et efficace, en me vautrant dans les mots, car je les adore. Et, étant immortel, j'ai dévoré plus de quatre siècles de création, depuis les pièces de Christopher Marlowe et de Ben Johnson jusqu'aux répliques cinglantes des films de Sylvester Stallone.

Vous me trouverez flexible, osé, et parfois choquant. Mais comment pourrais-je ne pas exploiter toute la puissance d'évocation dont je dispose ! Et je vous ferai remarquer que l'anglais n'est plus aujourd'hui la langue d'un seul pays, ni même de trois ou quatre, mais qu'il est devenu la langue de tout le monde moderne, depuis les profondes forêts du Tennessee jusqu'aux îles celtiques les plus perdues et, aux antipodes, aux villes bourdonnantes d'Australie et de Nouvelle-Zélande.

Je suis né à l'époque de la Renaissance. Je puise donc partout et mélange sans crainte, et je ne puis douter qu'un bien supérieur préside à ce que je fais.

Quant à l'italien de ma jeunesse, entendez-le chanter quand vous prononcez mon nom, Vittorio, et humez-le comme un parfum dans les autres noms qui émailleront ce récit. C'est, avant tout, une langue si douce qu'elle étale le mot « pierre » sur deux syllabes : *pie-tra*. Il n'y a jamais eu de langue plus aimable sur terre. Je parle toutes les autres langues avec l'accent italien que vous entendrez aujourd'hui dans les rues de Florence.

Et que mes victimes anglophones trouvent mes flatteries si exquises, dites avec l'accent qui est le mien, et cèdent à ma douce et chatoyante prononciation italienne, est pour moi une constante source de félicité.

Mais je ne suis pas heureux.

Ne le croyez pas.

Je n'écrirais pas un livre si c'était pour vous dire qu'un vampire est heureux.

J'ai un cerveau aussi bien qu'un cœur, et autour de moi plane un visage éthéré de moi-même, très certainement créé par quelque puissance supérieure, et, totalement imbriqué dans le tissu intangible de ce visage éthéré, il y a ce que les hommes appellent une âme. J'ai cela. Aucune quantité de sang ne peut épuiser sa vie et me réduire à l'état de revenant prospère.

OK. Pas de problème. Oui, oui. Merci ! Nous sommes prêts à commencer.

Sauf que je veux vous livrer une citation d'un écrivain obscur mais merveilleux, Sheridan Le Fanu, un paragraphe prononcé au comble de l'angoisse par un personnage hanté dans l'un de ses nombreux récits d'épouvante superbement écrits. Cet auteur, natif de Dublin, est mort en 1873, mais remarquez la fraîcheur de sa langue et combien est effrayante l'expression du personnage du capitaine Barton dans la nouvelle baptisée « Le Familier » :

> Quelle que puisse être mon incertitude quant à l'authenticité de ce qu'on apprend à appeler « révélation », je suis profondément et horriblement convaincu d'une chose : qu'il existe effectivement, au-delà de celui-ci, un monde spirituel — un système dont les mécanismes nous sont généralement cachés par pitié —, un système qui peut nous être, et nous est parfois, révélé de manière partielle et terrible. Je suis certain, je *sais*, qu'il y a un Dieu, un Dieu redoutable, et que le châtiment suit la culpabilité, par les voies les plus mystérieuses et les plus prodigieuses, par les instruments les plus inexplicables et les plus terrifiants ; il y a un système spirituel — Seigneur Dieu, comme j'en ai été convaincu ! —, un système malfaisant, et implacable, et omnipotent, sous les persécutions duquel j'ai souffert, et souffre encore, les tourments du damné !

Qu'en dites-vous ?

Je suis moi-même sidéré par ce passage. Je ne pense pas être prêt à parler de notre Dieu comme d'un être « redoutable » ni de notre système comme étant « malfaisant », mais il y a comme un accent lugubre et frappant de vérité dans ces mots, écrits pourtant pour une fiction, mais avec une émotion manifeste.

Cela m'importe parce que je suis poursuivi par une malédiction, unique en son genre, je pense, pour un vampire. C'est-à-dire que les autres ne la partagent pas. Mais je crois que nous tous — humains, vampires, êtres sensibles et qui pouvons pleurer — sommes poursuivis par une malédiction, celle d'en savoir plus que nous ne pouvons le supporter, et il n'y a rien, absolument rien que nous puissions opposer à la puissance et au charme de ce savoir.

Nous pourrons revenir ultérieurement sur cette question. Voyons d'abord ce que vous penserez de mon histoire.

C'est le début de la soirée. Les solides vestiges du donjon de mon père s'élèvent toujours assez hardiment vers les cieux aimablement piquetés d'étoiles pour que je puisse voir depuis la fenêtre les collines nimbées de lune et les vallées de Toscane, oui, et même jusqu'aux miroitements de la mer en contrebas des carrières de Carrare. Je sens la verdure florissante du pays accidenté et inexploré autour duquel les iris de Toscane éclatent toujours en parterres ensoleillés de pourpre et de jaune incendiaires, comme pour me permettre de les trouver dans la nuit soyeuse.

Ainsi entouré et protégé, j'écris, paré pour l'instant où la lune pleine mais toujours obscure me quitte pour se cacher derrière les nuages, prêt à allumer les bougies qui attendent, au nombre de six, bien calées dans l'argent grossièrement travaillé du candélabre qui trônait autrefois sur le bureau de mon père, du temps où il était le seigneur féodal à l'ancienne mode de son domaine et de tous ses villages, et l'allié fidèle dans la paix comme dans la guerre de la grande cité de Florence et de son dirigeant de fait, quand nous étions riches, sans crainte, curieux et merveilleusement satisfaits.

Permettez-moi de parler maintenant de ce qui a disparu.

2

MA PETITE VIE MORTELLE,
LA BEAUTÉ DE FLORENCE,
L'ÉCLAT DE NOTRE PETITE COUR —
CE QUI A DISPARU

J'avais seize ans lorsque je suis mort. Je suis de belle taille, j'ai d'épais cheveux bruns qui me descendent jusqu'aux épaules, des yeux noisette qui sont beaucoup trop vulnérables pour regarder, me donnant un certain air androgyne, un appétissant nez fin aux narines ordinaires, et une bouche de taille moyenne qui n'est ni voluptueuse ni mesquine. Un beau garçon pour l'époque. Si je ne l'avais été, je ne serais plus là aujourd'hui.

C'est le cas de la plupart des vampires, peu importe qui prétend le contraire. La beauté nous mène à notre perte. Ou, pour dire les choses plus exactement, nous sommes rendus immortels par ceux qui ne peuvent se détacher de nos charmes.

Mon visage n'est pas enfantin, il est presque angélique. Mes sourcils sont puissants, sombres, assez haut placés au-dessus de mes yeux pour leur conférer un éclat saisissant. Mon front serait un peu trop haut s'il n'était aussi droit et si je n'avais une telle profusion d'épais cheveux bruns pour encadrer l'ensemble d'une ondulation bouclée. Mon menton est légèrement trop fort, trop prononcé par rapport au reste. J'y ai une fossette.

Mon corps est plus que musculeux, puissamment bâti, et mes bras sont solides, donnant une impression de puissance virile. Cela sauve plutôt ma mâchoire à l'allure inflexible et me permet de passer pour un homme adulte, au moins à quelque distance.

Ce physique bien développé, je le dois à un exercice opiniâtre avec une lourde épée de bataille au cours des dernières années de ma vie, ainsi qu'à une pratique ardente de la chasse avec mes faucons dans les montagnes, dont je gravissais et redescendais souvent les flancs à pied, bien que j'eusse déjà, dès cet âge, quatre chevaux à moi, y compris une monture de cette auguste race capable de supporter mon poids revêtu d'une armure complète.

Mon armure est toujours enfouie sous cette tour. Je ne l'ai jamais utilisée sur un champ de bataille. De mon temps, l'Italie était ravagée par les guerres, mais toutes les batailles des Florentins étaient livrées par des mercenaires.

Tout ce que mon père avait à faire, c'était de déclarer sa loyauté sans faille à Cosme et de ne laisser aucun représentant du Saint Empire romain germanique, du duc de Milan ou du pape, faire passer des troupes par les cols de nos montagnes ou s'arrêter dans nos villages. Nous étions à l'écart du chemin. Ce n'était pas un problème. Des ancêtres entreprenants avaient bâti notre château trois siècles plus tôt. Nous remontions au temps des Lombards, ou de ces barbares qui avaient fondu sur l'Italie depuis le nord, et je crois que nous avions de leur sang en nous. Mais qui sait ? Depuis la chute de Rome, tant de tribus avaient envahi l'Italie.

Nous avions d'intéressantes reliques païennes tout autour de nous ; on retrouvait parfois dans les champs de très anciennes pierres tombales étrangères et d'amusantes petites déesses de pierre que les paysans continuaient de chérir si nous ne les confisquions pas. Sous nos tours se trouvaient des caves qu'on disait dater d'avant même la naissance du Christ, et je sais aujourd'hui que c'est vrai. Ces lieux appartenaient au peuple connu de l'Histoire sous le nom d'Étrusques.

Notre maisonnée, étant du vieux style féodal, méprisant le commerce et exigeant de ses hommes qu'ils fussent fiers et braves, était pleine de trésors acquis à la guerre sans inventaire ni décompte — c'est-à-dire de vieux candélabres en or et en argent, de lourdes commodes en bois incrustées de motifs byzantins, des habituelles tapisseries flamandes, et de tonnes de dentelles, de rideaux de lit ourlés à la main de fils d'or et de pierres précieuses, tous de la finesse la plus désirable.

Mon père, en admirateur des Médicis qu'il était, acquérait toutes sortes d'objets de luxe lors de ses voyages à Florence. La pierre apparaissait rarement à nu dans une pièce de quelque importance, parce que des tapis de haute laine la recouvraient partout, et, dans chaque couloir ou alcôve trônait une imposante armoire remplie de la tenue de combat ferraillante et rouillée d'un héros dont tout le monde avait oublié jusqu'au nom.

Nous étions incalculablement riches : cela, je l'avais plus ou moins entendu dire étant enfant, et il semblait bien que cela provînt autant de prouesses guerrières que d'un trésor païen gardé secret.

Il y avait bien sûr eu des siècles où notre famille avait guerroyé avec d'autres villes fortifiées et places fortes, où un château en assiégeait un autre et où des murailles étaient démantelées aussitôt bâties, où, enfin, de la ville de Florence débordaient sans cesse les querelles sanguinaires des guelfes et des gibelins.

La vieille Commune de Florence avait envoyé ses armées démanteler des châteaux tels que le nôtre et réduire à néant tout seigneur menaçant.

Mais ce temps était révolu depuis longtemps.

Nous avions survécu par l'intelligence et la justesse de nos choix, et parce que nous étions très isolés dans une région escarpée et inhospitalière, perchés au sommet d'une véritable montagne, car nous nous trouvions là où les Apennins s'effacent devant la Toscane, et les châteaux des alentours n'étaient que ruines abandonnées.

Notre voisin le plus proche régnait sur sa propre enclave de villages de montagne en fidèle vassal du duc de Milan.

Mais il ne se souciait pas plus de nous que nous de lui. La raison en était un lointain différend politique.

Nos murailles étaient hautes de trente pieds, incroyablement épaisses, plus vieilles que le château et le donjon, vieilles à vrai dire au-delà de toutes les légendes les plus romantiques, sans cesse renforcées et réparées, et à l'intérieur de notre enceinte se trouvaient trois petits villages qui exploitaient d'excellentes vignes produisant un merveilleux vin rouge. Il y avait aussi des ruches prospères, des mûriers en abondance, du blé et autres céréales, sans compter foule de poules et de vaches, et d'immenses écuries pour nos chevaux.

Je n'ai jamais su combien de personnes travaillaient dans notre petit monde. La maison était pleine de secrétaires qui s'occupaient de ces choses-là, et il était très rare que mon père dût siéger en personne pour trancher une quelconque affaire ou qu'il y eût motif d'en référer aux tribunaux florentins.

Notre église était l'église paroissiale de tout le pays environnant, si bien que les quelques habitants des petits hameaux moins bien protégés du pied de la montagne — et ceux-ci étaient nombreux — montaient à nous pour leurs baptêmes, mariages et autres sacrements, et nous avions durant de longues périodes à l'intérieur de nos murailles un prêtre dominicain qui disait la messe pour nous tous les matins.

La forêt avait autrefois été sévèrement éclaircie sur nos montagnes afin que nul ennemi ne pût progresser à couvert sur leurs pentes, mais de mon temps une telle protection était devenue inutile.

Les bois avaient repoussé, drus et odorants, dans certaines ravines et sur les anciens chemins, aussi touffus même qu'ils le sont maintenant, et presque jusqu'aux murailles. On distinguait clairement du haut de nos tours une douzaine de villages s'égrenant jusqu'à la vallée, avec leurs petits patchworks de champs labourés, de vergers, d'oliviers et de vignobles. Ils étaient tous soumis à notre autorité et loyaux envers nous. S'il s'était produit des troubles, ils auraient afflué à nos portes comme l'avaient fait leurs ancêtres, et à raison.

Il y avait des jours de marché, des fêtes de village et des célébrations religieuses, un phénomène de temps à autre et

parfois même un véritable miracle. C'était un bon pays.
C'était notre pays.

Les ecclésiastiques de passage séjournaient toujours lon-
guement parmi nous. Il n'était pas rare que nous eussions
deux ou trois prêtres dans les diverses tours du château ou
dans les bâtiments de pierre de moindre hauteur qu'on lui
avait récemment adjoints.

Tout jeune, j'avais été emmené à Florence afin d'y être
éduqué, vivant dans le style luxueux et stimulant du palazzo
de l'oncle de ma mère, qui mourut avant que j'eusse atteint
l'âge de treize ans, et ce fut alors — quand la maison fut
fermée — que je revins chez moi, en compagnie de deux
tantes fort âgées, pour ne plus revoir Florence qu'en une
seule occasion.

Mon père restait au fond de lui-même un homme de l'ancien temps, un seigneur par instinct indomptable, même s'il
lui suffisait de garder ses distances d'avec les luttes de pouvoir de la capitale, d'avoir d'énormes dépôts dans les
banques des Médicis et de vivre en hobereau à l'ancienne
mode sur son domaine, rendant visite à Cosme en personne
quand ses affaires l'attiraient à Florence.

Mais lorsqu'il s'agissait de son fils, mon père voulait que
je fusse élevé comme un prince, un *padrone*, un chevalier,
et je dus apprendre tous les arts et toutes les valeurs de la
chevalerie : à treize ans j'étais capable de monter à cheval
dans ma tenue de bataille au grand complet, inclinant ma
tête casquée, galopant à bride abattue en tendant ma lance
vers sa cible bourrée de paille. Cela ne me causait aucune
difficulté. C'était aussi amusant que de chasser, ou de nager
dans les torrents de montagne, ou de disputer des courses
de chevaux avec les gamins des villages.

J'étais cependant un être divisé. Mon esprit avait été
nourri à Florence par d'excellents professeurs de latin, de
grec, de rhétorique et de théologie, et je m'étais plongé dans
les drames historiques et les comédies chers aux jeunes gens
de la ville, jouant souvent les rôles principaux dans les
pièces données par la confrérie à laquelle j'appartenais dans
la maison de mon oncle : je savais incarner avec toute la

solennité requise l'Isaac biblique sur le point d'être sacrifié par l'obéissant Abraham, aussi bien que le sémillant archange Gabriel surpris par un saint Joseph soupçonneux en compagnie de sa Vierge Marie.

Je soupirais après tout cela — et j'avoue que j'y pense encore —, les livres, les sermons à la cathédrale que j'avais écoutés avec un intérêt précoce, et les merveilleuses nuits dans la maison florentine de mon oncle, lorsque je m'endormais aux accents de somptueux et extravagants opéras, l'esprit enivré par l'éclat de silhouettes miraculeuses descendant sur des fils, tandis que des luths et des tambours jouaient fiévreusement, que des danseurs gambadaient presque comme des acrobates et que des voix s'élevaient magnifiquement à l'unisson.

Cela avait été une enfance insouciante. Et dans la confrérie de jeunes gens à laquelle j'appartenais, j'avais rencontré les enfants les plus pauvres de Florence, les fils de marchands, les orphelins et les pensionnaires des couvents et des écoles, parce que telle était la règle de mon temps pour un seigneur de l'aristocratie terrienne. On devait frayer avec le peuple.

Je crois que je m'échappais souvent de la maison alors, aussi facilement que je m'évaderais plus tard du château. Je garde un trop vif souvenir des fêtes et des processions à Florence pour avoir été un enfant discipliné. Je me glissais trop souvent parmi la foule, observant les chars spectaculairement décorés en l'honneur des saints et m'émerveillant de la gravité de ceux qui, en rangs silencieux, portaient les cierges et marchaient très lentement, comme s'ils étaient perdus dans une transe mystique.

Oui, je dois avoir été un polisson. Je sais que j'en étais un. Je sortais par les cuisines. Je graissais la patte aux domestiques. J'avais de trop nombreux amis qui étaient des vauriens ou même de fieffés gredins. Je faisais du grabuge, puis je me réfugiais à la maison. Nous jouions au ballon et nous battions sur les piazzas, et les prêtres nous chassaient avec des baguettes et des menaces. J'étais en même temps un bon garçon et un vilain garnement, mais jamais vraiment méchant.

Depuis que je suis mort à ce monde, à l'âge de seize ans, je n'ai plus jamais revu de rues baignées par la lumière du jour, ni à Florence, ni ailleurs. Enfin, j'en ai vu le meilleur, cela je puis le dire. Je me remémore sans aucune difficulté le spectacle de la Saint-Jean, quand chaque échoppe de Florence devait exposer ses marchandises les plus précieuses, et que les moines et les frères chantaient les cantiques les plus sublimes en faisant procession vers la cathédrale pour remercier le Seigneur de la prospérité bénie de la ville.

Je pourrais continuer. Il n'y a pas de bornes aux louanges que l'on peut accumuler sur la Florence de ce temps, car c'était une ville d'artisans et de commerçants mais aussi celle de l'art le plus noble, de politiciens rusés et de véritables saints fous furieux, de poètes à l'âme profonde et de scélérats parmi les plus audacieux. Je pense que Florence savait beaucoup de choses à cette époque que l'on n'apprendrait que beaucoup plus tard en France et en Angleterre, et qui restent aujourd'hui encore inconnues de certaines contrées. Deux faits étaient certains. Cosme était l'homme le plus puissant du monde. Et le peuple, le peuple seul, gouvernait Florence alors, et pour toujours.

Mais revenons au château. J'y poursuivis mes lectures et études, me transformant en un éclair de chevalier en érudit. Si une quelconque ombre pesait sur ma vie, c'était qu'à seize ans j'étais assez âgé pour fréquenter une véritable université, et que je le savais, et que j'en avais le désir. Mais j'élevais de nouveaux faucons, que je dressais moi-même, avec lesquels j'allais chasser, et l'attrait de la vie au grand air était irrésistible.

À cet âge de seize ans, j'étais considéré comme un rat de bibliothèque par le clan des parents âgés qui s'assemblaient chaque soir à notre table, oncles de mon père ou de ma mère pour la plupart, tous très fortement ancrés dans une époque révolue où « les banquiers ne gouvernaient pas le monde », qui racontaient de merveilleux récits des croisades, qu'ils avaient faites dans leur jeunesse, et de ce qu'ils avaient vu à la terrible bataille de Saint-Jean-d'Acre, ou de combats sur les îles de Chypre et de Rhodes, et de ce qu'avait été la vie en mer et dans les nombreux ports exotiques où ils avaient été la terreur des tavernes et des femmes.

Ma mère était belle et spirituelle, avec des cheveux châtains et des yeux très verts. Elle adorait la vie à la campagne, mais elle n'avait jamais connu Florence sinon de l'intérieur d'un couvent. Elle pensait qu'il devait y avoir quelque chose de gravement corrompu chez moi pour que je voulusse lire la poésie de Dante et en écrire moi-même.

Elle ne vivait que pour recevoir ses hôtes avec affabilité, veillant à ce que les sols fussent jonchés de lavande et d'herbes odorantes et le vin proprement épicé. Elle conduisait elle-même le bal au bras d'un grand-oncle qui excellait à cet exercice, car mon père ne voulait rien savoir de la danse.

Tout cela était pour moi, après Florence, plutôt tiède et lent. Vive les histoires de guerre !

Elle devait avoir été très jeune quand sa main avait été accordée à mon père, car elle était grosse d'enfant la nuit où elle mourut. Et l'enfant mourut avec elle. J'y viendrai assez vite. Enfin, aussi vite que je le puis. Je ne suis pas doué pour la rapidité.

Mon frère, Matteo, avait quatre années de moins que moi, et il était excellent élève, bien qu'il n'eût encore été envoyé nulle part (ah, si seulement !), quant à ma sœur, Bartola, elle était née moins d'un an après moi, si proche en fait que je crois que mon père en éprouvait quelque honte.

Je les trouvais tous deux — Matteo et Bartola — les êtres les plus adorables et les plus intéressants au monde. Nous jouissions des plaisirs et de la liberté propres à la campagne, courant dans les bois, ramassant des mûres, nous asseyant au pied des conteurs romanichels avant qu'ils ne fussent attrapés et expulsés. Nous nous adorions mutuellement. Matteo me vénérait parce que j'étais capable de tenir la dragée haute à notre père. Il ne discernait pas sa force tran-

quille, ni ses bonnes manières polies par le temps. J'étais le
véritable instructeur de Matteo en toutes choses, j'imagine.
Quant à Bartola, elle était bien trop sauvage pour ma mère,
qui était dans un perpétuel état de choc devant sa chevelure,
tout emmêlée de brindilles, de pétales et de feuilles, et souil-
lée de la poussière des bois où nous étions allés courir.

Bartola était néanmoins contrainte à d'abondants travaux
de broderie ; elle savait ses chansons, ses poésies et ses
prières. Elle était trop délicate et trop riche pour se laisser
entraîner à faire ce qu'elle n'aurait pas voulu. Mon père
l'adorait, et plus d'une fois il s'assura en quelques mots bien
choisis que je veillais constamment sur elle lors de nos esca-
pades en forêt. Tel était le cas. J'aurais tué quiconque aurait
osé la toucher !

Ah, c'en est trop pour moi ! Je ne me doutais pas à quel
point ceci serait pénible ! Bartola. Tuer quiconque aurait
osé la toucher ! Aujourd'hui les cauchemars s'abattent sur
moi, comme s'ils étaient eux-mêmes des esprits ailés, et
menacent d'éteindre les minuscules lumières silencieuses et
toujours vagabondes du Paradis.

Reprenons le cours de mes pensées.

Je n'ai jamais vraiment compris ma mère, et l'ai probablement mal jugée, parce que tout semblait être affaire de style
et de manières avec elle, tandis que je trouvais mon père
d'une autodérision dévastatrice et toujours drôle.

Derrière toutes ses plaisanteries et ses histoires sarcas-
tiques, il était en fait plutôt cynique, mais gentil en même
temps ; il ne se laissait pas abuser par les airs solennels, ni
même par ses propres prétentions. Il considérait la situation
humaine comme désespérée. La guerre lui semblait
comique, vide de héros et pleine de bouffons, et il éclatait
de rire au beau milieu des harangues de ses oncles, ou même
au milieu de mes poèmes quand je m'échauffais trop, et je
ne pense pas qu'il ait jamais délibérément adressé une
parole aimable à ma mère.

C'était un homme imposant, rasé de près, aux longs cheveux, et il avait de magnifiques doigts longs et fuselés, très
inattendus pour sa taille, parce que tous ses oncles avaient

les mains plutôt épaisses. J'ai moi-même reçu l'héritage de ces mains. Toutes les bagues splendides qu'il portait avaient appartenu à sa mère.

Il s'habillait plus somptueusement qu'il ne l'aurait osé à Florence, de velours royal broché de perles, et portait de lourds manteaux doublés d'hermine. Ses gants étaient de véritables gantelets taillés dans de la peau de renard, et il avait de grands yeux graves, plus enfoncés que les miens, et pleins de moquerie, d'incrédulité et de sarcasme.

Il n'était jamais mesquin, cependant, avec quiconque.

Son unique affectation moderne était qu'il aimait boire dans de fines coupes de verre, plutôt que dans de vieux hanaps de bois dur, d'or ou d'argent. Et nous avions toujours quantité de verres étincelants sur notre longue table à dîner.

Ma mère ne manquait jamais de sourire quand elle l'interpellait pour lui dire, par exemple : « Monseigneur, veuillez ôter vos pieds de la table », ou bien : « Je vous saurais gré de ne pas me toucher avant d'avoir lavé vos pattes graisseuses », ou bien encore : « Pensez-vous réellement entrer dans la maison comme cela ? » Mais sous son extérieur plaisant, je pense qu'elle le haïssait.

L'unique fois où je l'ai entendue élever la voix, ce fut pour déclarer en termes sans équivoque que la moitié des enfants de nos villages étaient le fruit de ses œuvres, et qu'elle-même avait dû porter en terre huit nouveau-nés qui n'avaient jamais connu la lumière du jour parce qu'il n'était pas plus capable de se retenir qu'un étalon en rut.

Il avait été tellement abasourdi par cette explosion — cela se passait derrière des portes closes — qu'il était ressorti de la chambre l'air pâle et défait, et m'avait dit : « Tu sais, Vittorio, ta mère est loin d'être aussi stupide que je l'ai toujours cru. Non, pas du tout. En réalité, elle est seulement ennuyeuse. »

Jamais, en des circonstances normales, il n'aurait livré un jugement aussi déplaisant sur elle. Il tremblait.

Quant à elle, quand j'essayai d'entrer la voir, elle me jeta un pichet en argent à la tête. Je protestai : « Mais, mère, c'est Vittorio ! » et elle se jeta dans mes bras. Elle pleura amèrement pendant un quart d'heure.

Nous n'échangeâmes aucune parole pendant ce temps. Nous étions assis l'un contre l'autre dans sa petite chambre de pierre, assez haut située dans la plus vieille tour de notre maison, parmi de nombreux meubles dorés, tant anciens que nouveaux ; puis elle essuya ses larmes et dit : « Il prend soin de tout le monde, tu sais. Il prend soin de mes oncles et de mes tantes. Où seraient-ils sans lui ? Et il ne m'a jamais rien refusé. »

Elle continua de radoter de sa douce voix modulée par le couvent. « Regarde cette maison. Elle est pleine d'anciens dont la sagesse a été si précieuse pour vous, les enfants, et tout cela est le fait de ton père, qui est assez riche pour avoir pu partir s'il l'avait voulu, j'imagine, mais il est trop bon. Sauf que, Vittorio ! Vittorio, ne... je veux dire... avec les filles du village. »

Je faillis dire, aveuglé par le désir de la réconforter, que je n'avais engendré qu'un seul bâtard à ma connaissance, et qu'il se portait à merveille, quand je me rendis compte que c'eût été un parfait désastre. Je ne dis rien.

Cela aurait pu être l'unique conversation que j'eus jamais avec ma mère. Mais ce ne fut pas vraiment une conversation, car je restai muet.

Elle avait raison, cependant. Trois de ses tantes et deux de ses oncles vivaient auprès de nous à l'abri de nos hautes murailles, et ces vieilles gens vivaient bien, toujours magnifiquement habillées des meilleures étoffes de la ville, et jouissant de la vie courtoise la plus agréable qui fût. Je tirais grand profit à les écouter sans cesse, car ils connaissaient de vastes régions du monde.

Il en allait de même des oncles de mon père, si ce n'est que, bien sûr, c'était leur terre, celle de leur famille, et ils se sentaient donc mieux assurés de leur droit, j'imagine, d'autant qu'ils avaient livré la plupart des batailles héroïques de Terre sainte, à les entendre du moins, et ils disputaient mon père à propos de tout et de rien, depuis le goût des tartes servies au dîner jusqu'au style exagérément moderne des peintres florentins qu'il avait engagés pour décorer notre petite chapelle.

C'était un autre aspect de sa modernité, cette histoire de peintres, peut-être le seul goût moderne qu'il avait autre que d'aimer boire dans une coupe en verre.

Notre petite chapelle était restée nue pendant des siècles. Comme les quatre tours de notre château et la muraille qui l'entourait, elle était bâtie d'une pierre blonde qui est commune dans le nord de la Toscane. Ce n'est pas la pierre sombre que l'on voit si souvent à Florence, qui est grise et a toujours l'air sale. La pierre du Nord est presque de la couleur des roses les plus pâles.

Mais mon père avait fait venir des peintres de Florence quand j'étais tout petit — de bons peintres qui avaient étudié avec Piero della Francesca et d'autres maîtres de semblable réputation —, afin de couvrir les murs de cette chapelle de fresques inspirées des légendes des saints et des géants de la Bible, relatées dans le livre connu sous le nom de *Légende dorée*.

N'étant point lui-même un homme terriblement imaginatif, mon père s'en remit pour son projet à ce qu'il avait vu dans les églises florentines, et il donna instruction à ces hommes de raconter l'histoire de Jean-Baptiste, saint patron de la ville et cousin de Notre-Seigneur. C'est ainsi que, durant les dernières années de ma vie terrestre, notre chapelle fut couverte de représentations de sainte Élisabeth, saint Jean, sainte Anne, la Vierge Marie, Zacharie et d'anges à foison, tous parés — selon la vogue du temps — de leurs plus beaux atours florentins.

C'était cette peinture « moderne », si différente des raides représentations de Giotto et de Cimabue, que mes vieux oncles et tantes critiquaient tant. Quant aux villageois, je ne pense pas qu'ils la comprenaient parfaitement non plus, sauf qu'ils étaient en général tellement impressionnés par la chapelle lorsqu'ils venaient pour un mariage ou un baptême que c'était sans importance.

Pour ma part, j'étais bien sûr extrêmement heureux de voir réaliser ces peintures et de passer du temps avec les artistes — ils étaient tous partis le jour où un massacre démoniaque mit un terme à ma vie.

J'avais vu bon nombre des plus grandes peintures à Florence, et j'avais pris goût à errer en contemplant les splendides visions d'anges et de saints dans les riches chapelles consacrées des cathédrales ; j'avais même, lors de l'un de mes voyages à Florence avec mon père, aperçu dans la maison de Cosme l'orageux Filippo Lippi, qui se trouvait alors, de fait, retenu de force afin qu'il achevât une fresque.

Je fus terriblement impressionné par cet homme irrésistible en dépit de sa simplicité, par sa façon de plaider et de ruser et de tout faire hormis une crise de nerfs pour obtenir la permission de quitter le palazzo, tandis que le maigre et solennel Cosme se contentait de sourire et de l'apaiser de sa voix de baryton, lui disant de se remettre au travail et qu'il serait heureux quand tout cela serait fini.

Filippo Lippi était moine, mais il était fou des femmes, et tout le monde le savait. Il était, en quelque sorte, un voyou bien-aimé. C'était pour les femmes qu'il voulait sortir du palazzo, et il fut même suggéré plus tard, à la table du dîner de nos hôtes florentins lors de cette visite, que Cosme aurait mieux fait d'enfermer quelques femmes dans la pièce avec Filippo car cela l'aurait peut-être calmé. Je ne crois pas que Cosme ait jamais rien fait de ce genre. Si cela avait été le cas, ses ennemis l'auraient clamé dans tout Florence.

Permettez-moi de le noter ici, car c'est très important : je n'ai jamais oublié cet aperçu du génie de Filippo, car voilà ce qu'il était — et reste — pour moi.

« Alors, qu'est-ce qui t'a tant plu chez lui ? me demanda mon père.

— Il est à la fois bon et mauvais, répondis-je, pas seulement l'un ou l'autre. Je vois une guerre faire rage en lui ! J'ai vu certaines de ses œuvres autrefois, des œuvres qu'il avait peintes sous la direction de Fra Giovanni » — il s'agissait de l'homme que le monde entier connaîtrait plus tard sous le nom de Fra Angelico —, « et je peux te dire que je le trouve fantastique. Pourquoi sinon Cosme supporterait-il pareilles scènes ? Tu as entendu ça !

« — Et Fra Giovanni est un saint ? demanda mon père.

— Hum, oui. Et c'est très bien, tu sais, mais as-tu vu le côté tourmenté de Fra Filippo ? Hum, j'ai aimé ça. »

Mon père haussa les sourcils.

Lors de notre voyage suivant à Florence, qui fut le tout dernier, il m'emmena voir toutes les œuvres de Filippo. J'étais étonné qu'il se fût souvenu de mon intérêt pour cet homme. Nous passâmes de maison en maison pour regarder les fresques les plus adorables, puis nous nous rendîmes à l'atelier de Filippo.

Là, un tableau d'autel commandé par Francisco Maringhi pour une église florentine — *Le Couronnement de la Vierge* — était bien avancé, et quand je découvris cette œuvre, je manquai défaillir de saisissement et d'amour.

Je ne pouvais m'en détacher. Je soupirais et je pleurais.

Je n'avais jamais rien vu d'aussi beau que ce panneau, avec son immense foule de visages calmes et attentifs, sa magnifique collection d'anges et de saints, ses femmes félines, souples et gracieuses, et ses hommes sveltes et célestes. J'en devins fou.

Mon père m'emmena voir deux autres de ses œuvres, qui étaient toutes deux des Annonciations.

J'ai déjà indiqué qu'étant enfant j'avais joué le rôle de l'archange Gabriel venant trouver la Vierge pour annoncer l'Immaculée Conception du Christ, et, dans notre interprétation, il était censé être un ange plutôt séducteur et viril : Joseph entrait et, diantre ! trouvait ce mâle irrésistible en compagnie de sa pupille innocente, la Vierge Marie.

Nous étions une bande de jeunes gens turbulents et nous avions jugé bon d'épicer un peu la pièce. Nous l'avions légèrement corsée. Je ne pense pas que l'Écriture dise où que ce soit que saint Joseph ait interrompu un rendez-vous galant.

Mais cela avait été mon rôle favori et j'avais pris un plaisir tout particulier aux tableaux représentant l'Annonciation.

Eh bien, la dernière que je vis avant de quitter Florence, peinte par Filippo dans les années 1440, dépassait tout ce que j'avais pu voir jusqu'alors.

L'archange était réellement surnaturel, bien que physiquement parfait. Ses ailes étaient faites de plumes de paon.

J'étais malade de dévotion et de convoitise. J'aurais voulu que nous pussions acheter cette toile et la rapporter chez nous. Ce n'était pas possible. Aucune œuvre de Filippo n'était alors à vendre. Mon père finit donc par m'arracher à la contemplation de ce tableau, et nous repartîmes chez nous le lendemain ou le surlendemain.

Ce n'est que plus tard que je me rendis compte du calme avec lequel il m'avait écouté tandis que je divaguais à n'en plus finir sur Fra Filippo :

« C'est délicat, c'est original, et pourtant c'est conforme aux canons en vigueur. C'est là tout le génie : changer, mais pas trop, être inimitable, mais sans déconcerter le profane, et c'est bien ce qu'il a fait, père, crois-moi. »

J'étais intarissable.

« Voilà ce que je pense de cet homme, dis-je. Son côté charnel, sa passion pour les femmes, le refus quasi bestial d'observer ses vœux sont en lutte perpétuelle avec le prêtre qu'il est, car tu auras observé qu'il porte toujours l'habit, il est Fra Filippo. Et cette lutte confère aux visages qu'il peint un air de total abandon. »

Mon père écoutait.

« C'est ça, repris-je. Ses personnages reflètent son propre compromis permanent avec des forces qu'il ne peut concilier ; ils sont tristes, et sages, et jamais innocents, et toujours doux, échos d'un tourment muet. »

Sur le trajet du retour, tandis que nous chevauchions côte à côte à travers la forêt, en gravissant une route assez pentue, mon père me demanda d'un ton détaché si les peintres qui avaient décoré notre chapelle étaient bons.

« Père, tu plaisantes ! dis-je. Ils ont été excellents. »

Il sourit. « Je ne savais pas, tu vois, dit-il. J'ai simplement embauché les meilleurs. » Il haussa les épaules.

Je souris à mon tour.

Il éclata alors d'un rire bon enfant. Je ne lui ai jamais demandé si je pourrais de nouveau quitter la maison pour étudier. Je crois que je m'imaginais pouvoir nous rendre heureux tous les deux.

Nous dûmes faire vingt-cinq arrêts lors de ce dernier retour de Florence. Nous étions nourris et abreuvés de vin dans un château après l'autre, et faisions le tour des nouvelles villas, lumineuses et splendides, et tout abandonnées à leurs vastes jardins. Je ne m'attachais à rien en particulier parce que je croyais que c'était ma vie, toutes ces charmilles couvertes de glycine pourpre, et les vignes sur les pentes verdoyantes, et les filles aux joues pimpantes qui me faisaient signe des loggias.

Florence était en guerre l'année où nous fîmes ce voyage. Elle s'était rangée aux côtés du grand et célèbre Francesco Sforza pour s'emparer de la ville de Milan. Naples et Venise avaient pris le parti de Milan. Ce fut une guerre terrible. Mais elle ne nous toucha pas.

Elle était livrée en d'autres lieux et par des mercenaires, et, si la rancœur qu'elle suscita résonna dans les rues des villes, elle n'atteignit pas nos montagnes.

Le souvenir que j'en garde est celui des deux remarquables personnages qui étaient impliqués dans cette querelle. Le premier d'entre eux était le duc de Milan, Filippo Maria Visconti, un homme qui était notre ennemi, que nous le voulions ou non, car il était celui de Florence.

Mais écoutez donc à quoi ressemblait cet homme : il était hideusement gros, disait-on, et d'un naturel très sale — il lui arrivait de se dépouiller de tous ses vêtements pour se rouler tout nu dans la fange de ses jardins ! Il était terrifié à la vue d'une épée et hurlait s'il en voyait une sortie de son fourreau, et il était terrifié aussi à l'idée de voir peindre son portrait tant il se trouvait laid, ce en quoi il avait raison. Mais ce n'était pas tout. Les faibles et petites jambes de cet homme n'avaient pas la force de le soutenir, si bien que ses pages devaient le transporter de-ci de-là. Il avait cependant le sens de l'humour. Pour effrayer ses gens, il tirait soudain un serpent de sa manche ! Charmant, non ?

Cependant, cet homme parvint à régner durant trente-cinq ans sur le duché de Milan, et ce fut contre Milan que son propre mercenaire, Francesco Sforza, dirigea sa guerre.

Quant au deuxième individu, je ne veux le décrire que brièvement, car il était haut en couleur dans un tout autre registre, étant le beau, fort et brave fils d'un paysan — un paysan qui, enlevé dès son enfance, avait réussi à se hisser à la tête de la bande de ses ravisseurs —, et ce Francesco ne devint mercenaire qu'à compter du jour où son père se noya dans une rivière en tentant de porter secours à un jeune page. Quelle bravoure, quelle pureté, quels dons !

Je ne vis jamais Francesco Sforza de mes yeux avant de quitter ce monde pour y revenir en vampire, mais il était fidèle à ses descriptions, homme héroïque de style et de proportions, et, croyez-le ou non, ce fut à ce bâtard de paysan et soldat naturel que le duc de Milan fou aux jambes trop faibles donna sa propre fille en mariage, et cette fille, soit dit en passant, n'était pas de la femme du duc, la pauvre chose, car elle était enfermée, mais de sa maîtresse.

Ce fut ce mariage qui finit par déclencher la guerre. D'abord Francesco combattit bravement pour le duc Filippo Maria, puis, quand l'étrange et imprévisible petit duc cassa sa pipe, son gendre, le beau Francesco, qui avait charmé tout le monde en Italie, depuis le pape jusqu'à Cosme, voulut naturellement devenir duc de Milan !

Tout cela est vrai. Et n'est-ce pas passionnant ? Vérifiez. J'ai omis de dire que le duc Filippo Maria avait aussi une telle peur du tonnerre qu'il était censé avoir fait construire une pièce insonorisée dans son palais.

Et ce n'est pas tout. Sforza dut sauver Milan d'autres appétits qui voulaient s'en emparer, et Cosme fut contraint de le soutenir, sinon la France serait venue nous envahir, ou pire encore.

Cette situation était plutôt amusante, et, comme je l'ai dit, j'étais déjà parfaitement préparé, malgré mon âge tendre, à me rendre à la guerre ou à la Cour si cela m'était jamais demandé, mais ces guerres et ces deux personnages n'existaient qu'à travers des propos de table, et chaque fois que quelqu'un se répandait en injures contre ce fou de duc

Filippo Maria et l'une de ses plaisanteries de mauvais goût tel le serpent tiré de sa manche, mon père me faisait un clin d'œil et me glissait à l'oreille : « Rien de tel que le pur sang bleu, mon fils. » Puis il éclatait de rire.

Quant au romantique et brave Francesco Sforza, mon père avait eu la sagesse de ne rien en dire tant que l'homme avait combattu pour notre ennemi, le duc, mais aussitôt que nous fîmes tous alliance contre Milan, mon père ne tarit pas d'éloges sur le hardi Francesco et son courageux père, le paysan.

Il y avait un autre grand fou qui avait autrefois sévi en Italie, un brutal condottiere du nom de sir John Hawkwood, qui menait ses mercenaires, la *Compagnie blanche*, contre n'importe qui, y compris les Florentins.

Mais il avait fini par se ranger sous la bannière de Florence, devenant même citoyen de la ville, et quand il trépassa, on lui éleva un splendide monument dans la cathédrale ! Ah, quels temps !

Je pense que c'était vraiment une bonne époque pour être soldat, vous savez, pour choisir le camp dans lequel vous vouliez vous battre et vous laisser transporter par l'ivresse des armes autant que vous en aviez envie.

Mais c'était aussi une très bonne époque pour lire de la poésie, pour admirer des peintures et pour vivre au summum du confort et de la sécurité derrière des murailles ancestrales, ou pour se promener le nez au vent dans les rues bourdonnantes des villes prospères. Si vous aviez la moindre éducation, vous pouviez choisir de faire ce que vous vouliez.

Et c'était aussi une époque où il fallait se montrer très prudent. Des seigneurs tels que mon père étaient brisés par ces guerres. Des régions montagneuses qui étaient restées libres et largement livrées à elles-mêmes pouvaient être envahies et saccagées du jour au lendemain. Il arrivait de temps à autre qu'un seigneur qui avait eu jusque-là le bon goût de se tenir à l'écart des affaires se dressât contre Florence, et déboulaient alors avec fracas les troupes cliquetantes de mercenaires venus tout raser.

Au fait, Sforza gagna la guerre contre Milan, et l'une des raisons en fut que Cosme lui prêta l'argent nécessaire. La confusion la plus totale s'ensuivit.

Je pourrais continuer des heures durant à décrire ce pays merveilleux qu'est la Toscane.

Essayer de penser à ce qui aurait pu advenir à notre famille si le mal ne nous avait pas frappés me donne le frisson. Je ne peux pas imaginer mon père vieux, ni me voir en vieillard chancelant, ni me représenter ma sœur mariée, comme je l'espérais, à un aristocrate urbain plutôt qu'à un baron campagnard.

C'est une horreur et une joie pour moi qu'il y ait des villages et des hameaux dans ces mêmes montagnes qui ne se sont jamais éteints — jamais —, survivant à travers le pire, même la guerre moderne, pour continuer de prospérer autour de leurs étroites rues marchandes pavées de bois et parées de pots de géraniums rouges aux fenêtres. Il y a des châteaux qui se dressent partout, habités par les générations successives.

Ici, l'ombre règne.

Ici, Vittorio écrit à la lumière des étoiles.

Les ronces et autres plantes sauvages et épineuses ont colonisé la chapelle où les fresques restent visibles pour aucun spectateur et où les saintes reliques de l'autel de pierre consacré sont enfouies sous des montagnes de poussière.

Ah, mais ces épines protègent ce qui reste de ma maison. Je les ai laissées pousser. J'ai permis aux routes de disparaître sous la forêt ou les ai détruites moi-même. Je dois conserver quelque chose de ce qui était ! Je dois.

Mais voilà qu'à nouveau je divague interminablement.

Ce chapitre devrait être clos.

Mais c'est comme dans les saynètes que nous représentions dans la maison de mon oncle, ou celles que je vis devant le Duomo dans la Florence de Cosme. Il me faut peindre des toiles de fond, choisir soigneusement des accessoires, disposer des câbles pour le vol, et tailler et coudre des costumes avant de pouvoir lancer mes acteurs sur les planches et conter la fable de ma gestation.

Je n'y peux rien. Permettez-moi de conclure mon essai sur les splendeurs du XVe siècle en disant ce que le grand alchimiste Marsile Ficin en dira quelques années plus tard : ce fut un « âge d'or ».

J'en viens maintenant à l'instant tragique.

3

Le commencement de la fin eut lieu au printemps suivant. J'avais passé le cap de mon seizième anniversaire, qui était tombé cette année-là sur le mardi gras, jour où l'ensemble des villages et nous-mêmes célébrions le carnaval. Il arrivait assez tôt cette année-là, et il faisait donc un peu froid, mais c'était un grand moment de réjouissances.

Ce fut lors de cette nuit, celle qui précédait le mercredi des Cendres, que j'eus ce rêve terrible où je me vis enlaçant les têtes coupées de mon frère et ma sœur. Je me réveillai en nage, horrifié par ce rêve. Je le consignai dans mon livre des songes. Puis je l'oubliai. C'était fréquent chez moi, sauf que cela avait été véritablement le plus horrible cauchemar que j'eusse jamais fait. Mais lorsqu'il m'arrivait de parler de mes cauchemars à ma mère, à mon père, ou à quiconque d'autre, on me répliquait invariablement :

« Vittorio, c'est ta faute, avec les livres que tu lis. Tu le cherches. »

Donc, le rêve fut oublié.

À Pâques, la campagne était en fleur, et le premier avertissement de l'horreur à venir, bien que je l'ignorasse alors, fut l'abandon subit des hameaux les plus bas situés sur notre montagne.

Mon père et moi, accompagnés de deux chasseurs, d'un garde-chasse et d'un soldat, descendîmes constater par nous-mêmes que les paysans de ces parages s'en étaient allés, depuis quelque temps déjà, en emmenant tout le bétail.

C'était une vision sinistre que ces villages désertés, si petits et insignifiants qu'ils fussent.

Nous remontâmes sur notre montagne, baignés dans une chaude et enveloppante obscurité, trouvant cependant tous les autres villages que nous traversions cloîtrés et calfeutrés, avec à peine çà et là un rai de lumière filtrant de l'entrebâillement d'un volet ou un mince panache de fumée s'élevant d'une cheminée.

Bien sûr, le vieux régisseur de mon père se mit à fulminer que ces vassaux devaient être retrouvés, corrigés d'importance et remis au travail.

Mon père, bienveillant comme toujours et parfaitement calme, s'assit à son bureau à la lueur des chandelles et, prenant appui sur son coude, dit que tous étaient des hommes libres ; rien ne les liait à lui s'ils préféraient ne plus vivre sur sa montagne. Telle était la loi du monde moderne, mais il aimerait tout de même savoir ce qui se passait sur nos terres.

Tout à coup, il s'avisa de ma présence, tandis que je l'observais en silence, comme s'il ne m'avait pas encore vu, et mit un terme à la conférence, écartant toute l'affaire.

Je n'en pensai pas grand-chose.

Mais, au cours des jours qui suivirent, certains des villageois des pentes les plus basses montèrent s'intaller à l'intérieur de nos murailles. Il y eut des conversations dans le cabinet de mon père. J'entendis des éclats de voix derrière des portes closes, et un soir, au dîner, tous étaient d'une humeur bien trop sombre pour notre famille quand, enfin, mon père se leva de son grand fauteuil, en seigneur président toujours à sa table, et déclara, comme en réponse à une accusation silencieuse :

« Je ne persécuterai pas quelques vieilles femmes parce qu'elles ont planté des aiguilles dans des poupées de cire, brûlé de l'encens et lu des incantations idiotes qui ne signifient rien. Ces vieilles sorcières ont toujours été dans nos montagnes. »

Ma mère semblait sincèrement inquiète et, après nous avoir rassemblés — j'étais le plus réticent —, elle nous emmena, Bartola, Matteo et moi, et nous dit de nous coucher tôt.

« Ne reste pas éveillé à lire, Vittorio ! dit-elle.

— Mais que voulait dire père ? demanda Bartola.

— Oh, ce sont les vieilles sorcières du village », répondis-je. J'utilisai le mot italien *strega*. « De temps à autre, l'une d'elles va trop loin, ça dégénère, mais le plus souvent ce ne sont que des charmes pour guérir une fièvre ou un mal. »

Je pensais que ma mère me ferait taire, mais elle se tenait dans l'étroit escalier de pierre et me dévisageait avec un air de soulagement marqué. Elle abonda :

« Oui, oui, Vittorio, tu as parfaitement raison. À Florence, les gens rient de ces vieilles femmes. Toi-même, tu connais Gattena ; elle n'a jamais vraiment rien fait de plus que vendre des philtres d'amour aux jeunes filles.

— Nous n'allons certainement pas la traîner devant un tribunal ! » m'exclamai-je, très heureux qu'elle me prêtât attention.

Bartola et Matteo étaient tout ouïe.

« Non, non, pas Gattena, certainement pas. Gattena a disparu. Envolée.

— Gattena ? » demandai-je, et alors, au moment où ma mère se détournait, refusant, semblait-il, de dire un mot de plus, me faisant signe d'escorter ma sœur et mon frère jusqu'à la sûreté de leur lit, je saisis toute la gravité de cette information.

Gattena était la plus crainte et la plus comique des vieilles sorcières, et si elle avait fui, si elle avait eu peur de quelque chose, eh bien, c'était nouveau, parce qu'elle avait toujours considéré que c'était elle qui devait être crainte.

Les jours suivants furent frais et doux, et rien ne vint les gâcher ni pour moi, ni pour Bartola et Matteo, mais plus tard, rétrospectivement, je me souvins qu'ils avaient été bien remplis.

Un après-midi, je montai à la plus haute fenêtre de guet de la vieille tour, où un veilleur, Tori, comme nous l'appelions, s'endormait, et je contemplai notre terre aussi loin que portait mon regard.

« Eh bien, vous n'en verrez pas, dit Tori.

— Quoi ? demandai-je.

— La fumée d'un seul foyer. Il n'y en a plus. » Il bâilla et s'adossa au mur, lourdement lesté par son vieux justaucorps de cuir bouilli et son épée. « Tant mieux, dit-il, et il bâilla à nouveau. S'ils préfèrent aller vivre en ville, ou se battre pour Francesco Sforza contre le duché de Milan, qu'ils y aillent ! Ils ne se rendent pas compte de la bonne vie qu'ils avaient ici. »

Je me retournai vers la fenêtre pour contempler à nouveau les bois, le fond de la vallée au loin, et, au-delà, le ciel bleu légèrement brumeux. C'était vrai, les petits hameaux semblaient pétrifiés dans le temps, là, en bas, mais comment pouvait-on en être sûr ? La journée n'était pas si claire. En outre, tout allait bien dans la maisonnée.

Mon père tirait de l'huile d'olive, des légumes, du lait, du beurre et bien d'autres produits encore de ces villages, mais il n'en avait pas la nécessité. Si l'heure était venue pour leurs habitants de disparaître, qu'il en fût ainsi.

Deux soirs plus tard, cependant, il était indéniablement clair pour moi que tout le monde à la table du dîner était en proie à une tension intérieure perpétuelle, et que ma mère était prise d'une agitation qui l'empêchait de s'adonner à son aimable bavardage coutumier. La conversation n'était pas impossible, mais elle avait changé de nature.

Si tous les anciens semblaient profondément et secrètement contrariés, d'autres paraissaient plutôt indifférents à tout cela, et les pages continuaient de servir gaiement, tandis qu'un petit ensemble de musiciens qui s'était présenté la veille à notre porte nous donnait une charmante aubade accompagnée au luth et à la viole.

On ne put cependant convaincre ma mère de nous danser ses vieilles pavanes.

Il devait être fort tard quand fut annoncé un visiteur inattendu. Personne n'avait quitté la grande salle, excepté Bartola et Matteo que j'avais conduits à leur lit plus tôt et laissés aux soins de notre vieille nourrice, Simonetta.

Le capitaine de la garde entra dans la salle, claqua des talons et s'inclina devant mon père en disant :

« Monseigneur, il semble qu'un personnage de haut rang se soit présenté à votre porte, mais il ne veut pas être reçu dans la lumière, c'est du moins ce qu'il dit, et il exige que vous sortiez à sa rencontre. »

Toute la maisonnée fut aussitôt sur le qui-vive, et ma mère devint blême de colère et de vexation.

Personne n'utilisait jamais le mot « exiger » avec mon père.

Il m'apparut aussi clairement que notre capitaine de la garde, un vieux soldat plutôt avantageux qui avait livré plus d'une bataille contre les mercenaires itinérants, était lui-même nerveux et légèrement dérouté.

« Le ferez-vous, monseigneur, ou dois-je renvoyer ce signore ? demanda le capitaine.

— Dites-lui qu'il est le bienvenu dans ma maison, répondit mon père, et que nous lui offrons notre entière hospitalité au nom de Notre-Seigneur Jésus-Christ. »

Sa seule voix sembla avoir un effet apaisant sur la tablée tout entière, sauf peut-être sur ma mère, qui paraissait égarée.

Le capitaine dévisagea mon père d'un regard presque complice, comme pour lui faire comprendre que l'invitation ne marcherait jamais, mais il alla néanmoins la porter.

Mon père ne se rassit pas. Il resta debout, les yeux perdus dans le vide, puis il redressa la tête, comme s'il écoutait. Il se retourna et claqua des doigts, faisant tressaillir les deux gardes qui somnolaient à chaque extrémité de la salle.

« Parcourez toute la maison, fouillez partout, dit-il d'une voix douce. Il me semble entendre des oiseaux qui seraient entrés. Ce doit être l'air chaud, et de nombreuses fenêtres sont ouvertes. »

Les deux gardes partirent, et deux autres soldats vinrent aussitôt les remplacer. Qu'autant d'hommes fussent en service était peu ordinaire, mais la situation semblait l'être encore moins.

Le capitaine revint seul et s'inclina une nouvelle fois.

« Monseigneur, il ne veut pas apparaître à la lumière, dit-il. Vous devrez venir à lui, et il n'a guère le temps de vous attendre. »

Ce fut la première fois que je vis mon père réellement en colère. Quand il me fouettait ou corrigeait un petit paysan, il le faisait toujours avec une certaine indolence. À présent, les traits de son visage, d'habitude si enclins à la mansuétude par leur régularité même, semblaient déformés par le courroux.

« Comment ose-t-il ? » murmura-t-il.

Cependant, il fit le tour de la table et sortit à grands pas, le capitaine de sa garde sur ses talons.

J'avais aussitôt quitté ma chaise et me ruai à leur suite. J'entendis ma mère lancer d'une voix douce : « Vittorio, reviens ! »

Mais je dévalai l'escalier derrière mon père pour me précipiter dans la cour, et ce fut seulement quand lui-même fit demi-tour et me plaqua durement une main contre la poitrine que je m'arrêtai.

« Reste là, mon fils, dit-il avec sa chaleureuse tendresse coutumière. Je m'en occupe. »

De la porte de la tour, j'avais un bon point de vue, et j'aperçus à l'autre extrémité de la cour, devant nos portes baignées par la lumière des torches, cet étrange signore qui ne voulait pas s'exposer à la lumière de notre grande salle, même s'il ne semblait rien avoir à redire à cette illumination extérieure.

Les immenses portes du passage voûté étaient fermées et verrouillées pour la nuit. Seul le portillon à taille d'homme était ouvert, et c'était là qu'il se tenait, encadré par les torches flamboyantes qui pétillaient de part et d'autre de sa personne, se pavanant, me sembla-t-il, dans son magnifique habit de sombre velours lie-de-vin.

De la tête aux pieds, il était vêtu de cette riche couleur, guère à la mode du temps, mais chaque pièce de son habillement, depuis son justaucorps semé de pierres précieuses jusqu'à ses manches à crevé faites de bandes de satin et de velours alternées, était de cette même teinte, comme s'il avait été plongé tout entier dans la cuve du meilleur maître teinturier de Florence.

Même les pierres qui étaient cousues à son col ou pendaient autour de son cou sur une lourde chaîne d'or étaient de couleur lie-de-vin — très certainement des grenats, ou même des rubis.

Ses cheveux étaient épais et noirs, coulant souplement sur ses épaules, mais je ne distinguais pas son visage, non, pas du tout, car le chapeau de velours qu'il portait le plongeait dans l'ombre, et je n'aperçus qu'un morceau de peau très blanche, l'angle d'une mâchoire et une fraction de son cou, car rien d'autre n'était visible. Il portait une énorme épée à double tranchant dans un antique fourreau, et, jetée négligemment sur l'épaule, une cape du même velours lie-de-vin ornée de ce qui, vu de loin, me sembla être de complexes symboles dorés.

Je fis un effort pour essayer de mieux les distinguer, tous ces signes, et il me sembla voir une étoile et un croissant de lune au milieu d'ornements fantaisistes, mais j'étais vraiment trop éloigné.

La taille de l'homme était impressionnante.

Mon père s'immobilisa à quelque distance de lui, mais quand il prit la parole, ce fut d'une voix douce, et je ne pus entendre ce qu'il disait, et de l'homme mystérieux qui ne révélait toujours rien de son visage hormis sa bouche souriante et ses dents blanches sortit un propos soyeux qui semblait à la fois revêche et charmeur.

« Sortez de cette maison au nom de Notre-Seigneur et de Notre Saint Rédempteur ! » s'écria soudain mon père. Et, d'un mouvement vif, il s'avança et repoussa énergiquement cette magnifique silhouette en arrière.

J'étais stupéfait.

Mais de la bouche creuse de l'ombre au-delà du portillon sortit alors un doux rire satiné, un rire moqueur, et d'autres semblèrent lui répondre en écho, puis j'entendis un puissant martèlement de sabots, comme si plusieurs cavaliers s'étaient élancés simultanément.

Mon père claqua lui-même le portillon. Puis il se retourna, fit le signe de croix, et joignit les mains en prière.

« Seigneur Dieu, comment osent-ils ? » dit-il en levant les yeux au ciel.

C'est à cet instant seulement, au moment où il s'élançait vers la tour où j'étais que je me rendis compte que le capitaine de la garde était comme paralysé de terreur.

L'œil de mon père croisa le mien aussitôt qu'il entra dans la lumière venant de l'escalier, et je désignai le capitaine du geste. Mon père pivota sur lui-même.

« Condamnez la maison, lança mon père. Fouillez-la de fond en comble et condamnez-la, rassemblez tous les hommes et remplissez la nuit de torches, vous avez entendu ? Il me faut des hommes dans chaque tour et sur tous les murs. Exécution immédiate. Je veux assurer la protection des miens ! »

Nous n'avions pas encore rejoint la salle du dîner qu'un vieux prêtre qui vivait alors auprès de nous, un dominicain érudit du nom de Fra Diamonte, descendit à notre rencontre, le cheveu tout ébouriffé, sa soutane à moitié déboutonnée, son livre de prières à la main.

« Que se passe-t-il, monseigneur ? demanda-t-il. Au nom du ciel, que s'est-il passé ?

— Mon père, ayez foi en Dieu et venez prier avec moi dans la chapelle », lui répondit mon père. Il apostropha alors un garde qui approchait à grands pas. « Illuminez la chapelle, allumez tous les cierges, car je veux prier. Allez-y tout de suite, et faites descendre les musiciens, car je veux entendre de la musique sacrée. »

Il prit alors ma main et celle du prêtre. « Ce n'est rien, en réalité, vous devez tous deux le savoir. Ce ne sont que balivernes superstitieuses, mais tout prétexte qui fait se tourner vers Dieu un pécheur tel que moi est bon à saisir. Viens, Vittorio. Fra Diamonte, toi et moi allons prier, mais présente un visage serein à ta mère. »

J'étais beaucoup plus calme, mais la perspective de passer toute la nuit dans la chapelle illuminée était à la fois bienvenue et inquiétante.

J'allai chercher mon livre de prières, mon livre de messe et d'autres ouvrages de dévotion, délicats vélins florentins aux initiales enluminées et aux illustrations rehaussées de dorures.

Je sortais tout juste de ma chambre quand je vis mon père en conversation avec ma mère : « Ne laissez pas les enfants seuls un instant, quant à vous, dans votre état, je ne tolérerai pas cet égarement. »

Elle toucha son ventre.

Je compris qu'elle était à nouveau grosse d'enfant. Et je compris aussi que mon père était réellement inquiet. Que voulait dire : « Ne laissez pas les enfants seuls un instant » ? Qu'est-ce que cela pouvait signifier ?

La chapelle était assez confortable. Mon père avait depuis longtemps fait installer des prie-Dieu capitonnés, même si les jours de fête tout le monde se tenait debout. Les bancs n'existaient pas en ce temps-là.

Mais il consacra aussi une partie de la nuit à me montrer le caveau situé sous l'église, auquel on accédait au moyen d'une trappe dont la poignée, encastrée dans la pierre, semblait n'être qu'un des nombreux ornements de marbre marquetés dans le dallage du sol.

Je connaissais l'existence de ces cryptes, mais j'avais été fouetté pour m'y être glissé étant enfant, et mon père m'avait dit alors combien je l'avais déçu en me révélant incapable de garder un secret de famille.

Cette admonestation m'avait bien plus blessé que le fouet. Et je n'avais jamais demandé à l'accompagner dans les cryptes, où je savais qu'il se rendait de temps à autre d'année en année. Je pensais qu'il y avait un trésor, là, en bas, des secrets remontant aux païens.

Eh bien, ce que je découvris alors fut une pièce caverneuse, taillée à même la roche, parée de pierre, et pleine de trésors divers. Il y avait de vieux coffres et même des piles de livres. Ainsi que deux portes verrouillées.

« Elles conduisent à des sépultures où tu n'as pas besoin d'aller, me dit-il, mais tu dois connaître ce lieu à présent. Et ne pas l'oublier. »

Quand nous remontâmes dans la chapelle, il remit la trappe en place, renfonça la poignée, réinséra le carreau de marbre, et le tout redevint parfaitement invisible.

Fra Diamonte fit comme s'il n'avait rien vu. Ma mère dormait à présent, avec mes frères et sœurs.

Nous, dans la chapelle, nous endormîmes avant l'aube.

Mon père sortit dans la cour au lever du soleil, au moment où tous les coqs chantaient dans les villages à l'intérieur de nos murailles. Il s'étira et leva les yeux vers le ciel, puis haussa les épaules.

Deux de mes oncles se précipitèrent vers lui, demandant à savoir de quelle ville venait ce signore qui osait se proposer de nous assiéger, et quand nous devions livrer cette bataille.

« Non, non, non, vous n'avez rien compris, dit mon père. Nous n'allons pas faire la guerre. Retournez vous coucher. »

Il n'avait pas sitôt prononcé ces paroles qu'un cri déchirant nous fit tous accourir. Par les portes de la cour que l'on ouvrait, entrait une villageoise, l'une de celles qui nous étaient le plus proche et le plus cher, qui hurlait ces terribles paroles :

« Il a disparu, le bébé a disparu, ils l'ont pris ! »

On passa le reste de la journée à fouiller partout à la recherche de l'enfant. Mais on ne le trouva pas. Et l'on découvrit bientôt qu'un autre enfant avait également disparu sans laisser de traces. Il s'agissait d'un simple d'esprit qui ne savait même pas marcher. On l'aimait bien parce qu'il n'était pas méchant pour un sou, et on avait d'autant plus honte que personne n'était capable de dire depuis combien de temps cet idiot n'était plus là.

Au crépuscule, je crus que j'allais devenir fou si je ne pouvais voir mon père seul à seul, si je ne pouvais m'introduire dans les appartements verrouillés où il débattait avec ses oncles et les prêtres. Je finis par marteler si bruyamment la porte des poings et des pieds qu'il me laissa entrer.

La réunion était sur le point de s'achever. Il me fit asseoir à côté de lui et me lança, avec un regard enfiévré :

« Tu vois ce qu'ils ont fait ? Ils ont pris eux-mêmes le

tribut qu'ils me réclamaient. Ils l'ont pris. Je l'ai refusé et ils l'ont pris.

— Mais quel tribut ? Tu veux parler des enfants ? »

Il avait le regard d'un fou. Il massa son visage non rasé et abattit le poing sur la table, puis balaya tout son matériel d'écriture.

« Pour qui se prennent-ils de venir me voir en pleine nuit et me demander de leur remettre les enfants dont personne ne veut ?

— Père, qu'est-ce que c'est ? Vous devez me le dire.

— Vittorio, tu partiras demain pour Florence, au point du jour, avec les lettres que j'entends écrire ce soir. Il me faut mieux que des prêtres de la campagne pour combattre ceci. Va te préparer pour le voyage. »

Tout à coup il leva les yeux. Il sembla tendre l'oreille, puis regarda autour de lui. Je vis que la lumière avait disparu des fenêtres. Nous-mêmes n'étions plus que de vagues silhouettes, et il avait renversé le candélabre. Je le ramassai.

Je le regardai à la dérobée tandis que je prenais une des chandelles pour l'allumer à la torche de la porte et rallumer ensuite les autres.

Il écouta, immobile et aux aguets, puis il se leva sans un bruit, les poings posés sur la table, apparemment indifférent à la lueur que les chandelles projetaient sur son visage révulsé et défait.

« Qu'entendez-vous, monseigneur ? demandai-je, utilisant sans même m'en rendre compte le titre imposé par le protocole.

— Le mal, chuchota-t-il. Des êtres malins que le Seigneur ne laisse vivre qu'à cause de nos péchés. Arme-toi bien. Emmène ta mère, ton frère et ta sœur dans la chapelle, et dépêche-toi. Les soldats ont reçu leurs instructions.

— Dois-je y faire apporter quelques vivres, peut-être seulement du pain et du vin ? » demandai-je.

Il hocha la tête comme si c'était sans aucune importance.

Moins d'une heure plus tard, nous étions tous rassemblés dans la chapelle, la famille entière, qui comprenait alors cinq

oncles et quatre tantes, ainsi que deux nourrices et Fra
Diamonte.

Le petit autel était paré comme pour la messe, avec notre
plus beau drap d'autel brodé et nos plus lourds candélabres
d'or, et les cierges crépitaient. L'image de Notre-Seigneur
crucifié brillait dans la lumière, dans un vieux bois gravé
mince et nu qui pendait sur ce mur depuis que saint François s'était arrêté en notre château deux siècles plus tôt.

C'était un Christ nu, commun en ces temps reculés, une
représentation du sacrifice torturé, dépourvu de la solidité
et de la sensualité des crucifix de mon époque. Il contrastait
puissamment avec la magnificence des saints qui venaient
d'être peints sur les murs, dans leurs velours brillants et
leurs parures dorées.

Nous étions assis sur de simples bancs de bois brun qu'on
avait apportés pour nous, tous silencieux, car Fra Diamonte
avait dit la messe ce matin-là et confié au tabernacle le Corps
et le Sang de Notre-Seigneur sous la forme des Espèces
consacrées, et la chapelle était maintenant, pour ainsi dire,
pleinement la maison de Dieu.

Nous mangeâmes le pain et bûmes un peu de vin près du
portail, mais personne ne dit mot.

Seul mon père sortait régulièrement, s'avançant fièrement
dans la cour illuminée par les torches pour héler les soldats
postés dans les tours et sur les murs, montant parfois vérifier
par lui-même que tout était bien en place pour assurer notre
protection.

Mes oncles étaient tous armés jusqu'aux dents. Mes tantes
disaient leur rosaire avec ferveur. Fra Diamonte était déso-
rienté. Ma mère était pâle comme la mort et malade, peut-
être à cause du bébé qu'elle portait en son sein, et elle
s'agrippait fiévreusement à mon frère et à ma sœur qui
étaient maintenant franchement terrifiés.

Il semblait que nous passerions la nuit sans incident.

L'aube ne pouvait pas être éloignée de plus de deux
heures quand je fus tiré d'un demi-sommeil par un cri
horrible.

Aussitôt mon père se leva d'un bond, tout comme mes

en nage, le bras endolori par le lourd cierge doré. Finalement, nous nous affalâmes au fond de la salle, et le contact de la pierre froide me fut un réconfort.

Mais, dans l'intervalle de notre silence collectif, j'entendis à travers toute l'épaisseur du sol les hurlements venus d'en haut, de terribles cris de peur et de panique, des cavalcades, et même des hennissements suraigus, qui me firent dresser les cheveux sur la tête. On eût dit que des chevaux avaient fait irruption dans la chapelle au-dessus de nous, ce qui n'avait rien d'impossible.

Je me levai et me précipitai aux deux autres portes de la crypte, celles qui conduisaient aux chambres funéraires ou quoi que ce fût, je ne voulais pas le savoir ! Je tirai le loquet de l'une d'elles et ne vis rien d'autre qu'un étroit passage, pas même assez haut pour moi, et à peine suffisamment large pour mes épaules.

Je me retournai, tenant la seule source de lumière, et aperçus les enfants raides de peur, les yeux rivés au plafond au-dessus duquel continuaient de retentir les hurlements du carnage.

« Je sens le feu, chuchota soudain Bartola, le visage aussitôt baigné de larmes. Tu le sens, Vittorio ? Je l'entends. »

Je l'entendais et je le sentais aussi.

« Faites tous deux le signe de croix ; priez maintenant, dis-je, et faites-moi confiance. Nous sortirons de là. »

Mais la clameur de la bataille ne faiblissait pas, les cris se poursuivaient, et puis, subitement, si subitement que ce fut aussi stupéfiant et terrifiant que le bruit lui-même, tomba le silence.

Ce silence enveloppa tout, et il était trop absolu pour signifier la victoire.

Bartola et Matteo s'agrippèrent à moi, de part et d'autre.

Il y eut un fracas au-dessus de nos têtes : les portes de la chapelle étaient refermées. Aussitôt après, la trappe fut soulevée et, dans la lueur des torches, je distinguai une mince silhouette sombre aux longs cheveux.

L'appel d'air éteignit mon cierge. Hormis la palpitation

infernale en provenance de la chapelle, nous étions voués à l'obscurité sans merci.

Une fois encore, je vis distinctement le contour de cette silhouette, celle d'une haute femme majestueuse aux boucles immenses et à la taille suffisamment fine pour être enserrée par mes deux mains, tandis qu'elle semblait planer sans bruit jusqu'au bas de l'escalier.

Comment, au nom du Ciel, pouvait-elle exister, cette créature ?

Avant que je pusse songer à tirer mon épée sur un assaillant de sexe féminin ou comprendre quoi que ce fût, je sentis ses tendres seins contre ma poitrine et respirai la fraîcheur de sa peau tandis qu'elle semblait m'enlacer de ses bras.

Il y eut un moment de confusion inexplicable et étrangement sensuel quand le parfum de sa chevelure et de sa robe monta à mes narines, et je crus voir le blanc luisant de ses yeux qui me dévisageaient.

J'entendis Bartola crier, puis Matteo à son tour. Je fus jeté à terre.

Le feu brillait vivement en haut.

La silhouette les tenait tous les deux, deux enfants qui se débattaient en hurlant sous un seul bras presque fragile, une épée levée dans l'autre main, et après s'être arrêtée, pour me regarder, semblait-il, elle fila en haut de l'escalier dans la lumière du brasier.

Tenant mon épée à deux mains, je me précipitai à sa suite jusque dans la chapelle et vis qu'elle avait, je ne savais par quel pouvoir maléfique, déjà presque atteint la porte, prouesse impossible, tandis que ses fardeaux gémissaient et m'appelaient au secours : « Vittorio ! Vittorio ! »

Tous les vitraux de la chapelle étaient en feu, de même que la rosace au-dessus du crucifix.

Je ne pouvais en croire mes yeux : une jeune femme, qui me volait mon frère et ma sœur.

« Arrêtez, au nom du Seigneur ! lui lançai-je. Lâche voleuse de la nuit ! »

Je courus après elle, mais à mon complet étonnement elle

s'arrêta, s'immobilisa, et se retourna pour me regarder à nouveau, et cette fois je la vis dans toute la plénitude de sa beauté raffinée. Son visage était d'un ovale impeccable avec de grands yeux gris et doux, une peau semblable aux émaux blancs chinois les plus fins. Elle avait des lèvres rouges, trop parfaites même pour qu'un peintre eût pu les dessiner, et ses longs cheveux blonds cendrés paraissaient gris, comme ses yeux, à la lumière du feu, descendant le long de son dos en une masse ondoyante et soignée. Sa robe, bien que sombrement tachée de ce qui devait être du sang, était de la même couleur lie-de-vin que j'avais vue dans l'habit du visiteur maudit de la veille au soir.

Le visage d'abord curieux, puis poignant, elle me contemplait simplement. Sa main droite tenait l'épée levée, mais elle ne bougeait pas. Elle relâcha alors l'étreinte implacable de son bras gauche enserrant mon frère et ma sœur.

Tous deux roulèrent au sol en hoquetant.

« Démon. Strega ! » hurlai-je. Je bondis au-dessus d'eux et avançai sur elle en faisant tournoyer mon épée.

Mais elle m'esquiva si promptement que je ne le vis même pas. Je ne pouvais croire qu'elle fût si loin de moi, la pointe de son épée reposant sur le sol à présent, me contemplant toujours, ainsi que les deux enfants en pleurs.

Soudain sa tête tourna. Il y eut un puissant sifflement, puis un autre, et un autre encore. À travers la porte de la chapelle, semblant jaillir des flammes mêmes de l'Enfer, apparut une autre silhouette vêtue de rouge, encapuchonnée de velours et portant des bottes liserées d'or. Lorsque je fis tournoyer mon épée, ce personnage me balaya d'un geste du bras et, en un instant, coupa la tête de Bartola puis celle de Matteo qui hurlait.

Je devins fou. Je rugis. Il se tourna vers moi. Mais la femme l'arrêta d'une ferme interdiction.

« Laisse-le tranquille », lança-t-elle d'une voix à la fois douce et claire, et il s'éloigna, ce meurtrier, cet ennemi encapuchonné aux bottes liserées d'or, l'appelant à le rejoindre.

« Viens donc, maintenant ; as-tu perdu la raison ? Regarde le ciel. Viens, Ursula. »

Elle ne bougea pas. Elle me regardait comme auparavant.

Je sanglotai, je jurai, et, empoignant mon épée, je courus de nouveau sus à elle ; je vis cette fois ma lame trancher son bras droit, juste au-dessous du coude. Le membre blanc, fin et apparemment fragile, comme toutes les parties de son corps, tomba sur le sol pavé avec sa lourde épée. Le sang jaillit de son moignon.

Elle eut à peine un regard pour lui. Puis elle tourna de nouveau vers moi le même visage poignant, inconsolable et presque meurtri.

Je levai à nouveau mon épée. « Strega ! » m'écriai-je, serrant les dents, essayant de voir à travers mes larmes. « Strega ! »

Mais, dans une nouvelle prouesse maléfique, elle recula, très loin de moi, comme si elle avait été tirée par une force invisible, et, dans sa main gauche, elle tenait à présent sa droite, qui serrait toujours l'épée comme si elle n'avait pas été tranchée. Elle replaça le membre que j'avais coupé. Je la regardai. Je la regardai remettre le membre en place, le tournant et l'ajustant jusqu'à ce qu'il fût exactement tel qu'il devait être, et puis, sous mes yeux ébahis, je vis la blessure que j'avais faite se sceller complètement dans sa peau blanche.

Puis l'ample manche en cloche de sa riche robe de velours retomba sur son poignet.

En un éclair, elle fut hors de la chapelle, à peine une silhouette maintenant, qui se découpait sur les miroitements des feux ravageant nos tours. Je l'entendis murmurer :

« Vittorio. »

Puis elle disparut.

Je savais qu'il était inutile de chercher à la poursuivre ! Je sortis tout de même en faisait tournoyer mon épée, hurlant, de rage et d'amertume, des menaces insensées contre le monde entier, les yeux maintenant aveuglés par les larmes, la gorge serrée jusqu'à l'étouffement.

Tout était tranquille. Tout le monde était mort. Mort. Je le savais. La cour était jonchée de corps.

Je retournai en courant dans la chapelle. Je pris les têtes

de Bartola et de Matteo dans mes bras. Je m'assis en les serrant contre moi, et sanglotai.

Elles semblaient toujours vivantes, ces têtes coupées, avec leurs yeux étincelants et leurs lèvres qui bougeaient encore dans un vain effort pour parler. Oh, Seigneur ! C'était au-delà de tout ce que l'être humain peut supporter. Je sanglotai.

Je jurai.

Je les posai côte à côte, ces deux têtes, sur mes genoux, je caressai leurs cheveux et leurs joues. Je leur murmurai des paroles de réconfort, disant que Dieu était proche, que Dieu était avec nous, que Dieu prendrait soin de nous à tout jamais, que nous étions au Ciel. Oh, s'il te plaît, Dieu ! priai-je de toute mon âme, ne leur laisse pas les sensations et la conscience qu'ils semblent toujours posséder. Oh, non, pas cela. Je ne peux le supporter. Je ne peux pas. Non. S'il Te plaît.

À l'aube, enfin, quand le soleil déversa ses flots arrogants à travers les portes de la chapelle, quand les feux se furent éteints, quand les oiseaux chantèrent comme si rien n'était arrivé, les innocentes petites têtes de Bartola et Matteo étaient inertes et sans vie, on ne peut plus mortes, et leur âme immortelle les avait quittées, si elle ne s'était pas envolée dès l'instant où l'épée avait séparé ces têtes de leur corps.

Je trouvai ma mère assassinée dans la cour. Mon père, couvert de blessures aux mains et aux bras, comme s'il avait saisi les épées qui l'avaient tué, gisait dans l'escalier de la tour.

Le travail avait été expéditif. Gorges coupées, et seulement çà et là la preuve, comme dans le cas de mon père, d'une forte résistance.

Rien n'avait été volé. Mes tantes, deux d'entre elles mortes dans un angle de la chapelle, deux autres dans la cour, portaient toujours toutes leurs bagues, leurs colliers et leur diadème.

Pas un seul bouton orné d'un joyau n'avait été arraché.

Il en allait de même dans toute l'enceinte.

Les chevaux étaient partis, le bétail errait dans les bois,

les volailles s'étaient enfuies. J'ouvris la petite maison où logeaient tous mes faucons de haut vol, enlevai leur chaperon et les laissai gagner les arbres.

Il n'y avait personne pour m'aider à enterrer les morts.

À midi, j'avais traîné toute ma famille, les uns après les autres, jusqu'à la crypte et les avais précipités sans façon au bas des marches, puis les avais étendus côte à côte dans la salle, du mieux que je pouvais.

La tâche avait été exténuante. Je fus près de m'évanouir quand j'arrangeai les membres de chacun d'entre eux, et de mon père pour finir.

Je savais que je ne pouvais en faire autant pour les autres habitants de notre enceinte. C'était tout simplement impossible. En outre, quiconque était venu pourrait bien revenir, car j'avais été laissé en vie, et un démon encapuchonné en avait été le témoin, un assassin vicieux qui avait massacré sans pitié deux enfants.

Du reste, j'ignorais la nature de cet ange de mort, l'exquise Ursula, avec ses joues blanches à peine teintées, son long cou et ses épaules tombantes. Elle-même pourrait revenir se venger de l'affront que je lui avais fait.

Je devais gagner les montagnes.

Que ces créatures ne fussent point dans les parages, je le sentais instinctivement à la fois dans mon cœur et dans l'air chaud que je respirais à pleins poumons, mais aussi parce que j'avais assisté à leur fuite, entendu leurs sifflements et les paroles menaçantes du démon à la femme, Ursula, lui rappelant qu'ils devaient se dépêcher.

Pas de doute, c'étaient des créatures de la nuit.

J'avais donc le temps de monter à la plus haute tour et d'examiner la campagne alentour.

Je le fis. J'eus la confirmation que personne n'avait pu voir la fumée de nos planchers en feu et de nos meubles incendiés. Le château le plus proche était une ruine, comme je l'ai déjà dit. Les hameaux les plus reculés étaient depuis longtemps abandonnés.

Le prochain village de quelque importance était à une journée de marche, et je devais me mettre en route si je voulais atteindre une quelconque cachette avant la tombée de la nuit.

Un millier de pensées me tourmentaient. J'étais un enfant ; je ne pouvais même pas passer pour un homme ! j'avais de l'argent dans les banques florentines, mais il était à une semaine de cheval de là où je me trouvais ! C'étaient des démons. Cependant ils avaient pénétré dans une église. Fra Diamonte avait été tué.

Une seule idée me resta finalement.

La vendetta. J'allais me venger. J'allais les débusquer et me venger. Et s'ils ne pouvaient affronter la lumière du jour, alors ce serait le moyen de ma vengeance ! Je le ferais. Pour Bartola, pour Matteo, pour mon père et ma mère, pour le plus humble des enfants qui avait été arraché à ma montagne.

Car ils avaient pris les enfants. Oui, ils l'avaient fait. J'en eus la confirmation avant de partir, car je ne m'en étais pas rendu compte au milieu de tous mes soucis, mais ils l'avaient fait. Il n'y avait pas un seul cadavre d'enfant sur les lieux, seuls les garçons de mon âge avaient été tués, mais tous ceux qui étaient plus jeunes avaient été emmenés.

Pourquoi ? Pour subir quelles horreurs ? J'étais hors de moi. J'aurais pu rester longtemps à cette fenêtre, les poings serrés, rongé par la colère et ma promesse de vendetta, si une vision bienvenue ne m'avait distrait. Au fond de la vallée la plus proche, j'aperçus trois de mes chevaux qui erraient sans but, comme s'ils attendaient qu'on les rappelât à l'écurie.

Au moins, j'aurais l'une de mes montures pour me déplacer, mais je devais passer à l'action. Avec un cheval je pourrais atteindre une ville avant la tombée de la nuit. Je ne connaissais pas la région du Nord. C'était un pays de montagnes, mais j'avais entendu parler d'une ville d'une certaine taille point trop éloignée. Je devais aller là-bas, y trouver refuge, réfléchir et consulter un prêtre érudit qui s'y connût en démons.

Ma dernière tâche était ignominieuse et révoltante à

accomplir, mais je m'en acquittai. Je rassemblais autant de richesses que je pouvais en transporter.

Pour cela je gagnai d'abord ma propre chambre, comme par un jour ordinaire, m'habillai de mes meilleurs habits de soie et de velours, enfilai mes bottes montantes et pris mes gants, puis, emportant les fontes en cuir que je pouvais attacher à la selle de mon cheval, je descendis dans la crypte où je dépouillai mes parents, mes oncles et mes tantes de leurs bagues, broches et colliers les plus précieux, des boucles de ceinturon en or et en argent qu'ils avaient rapportées de Terre sainte. Seigneur, aidez-moi !

Puis je remplis ma bourse de tous les ducats et florins d'or que je pus trouver dans les coffres de mon père, comme si j'étais un voleur, un pilleur de tombes, me sembla-t-il, et, traînant ces lourds sacs, j'allai quérir ma monture, la seller et la harnacher, pour m'enfoncer dans la forêt, tel un noble chasseur mystérieux, avec son armement, sa cape bordée de vison et un chapeau florentin de velours vert.

4

OÙ JE DÉCOUVRE DE NOUVEAUX MYSTÈRES,
SUIS UN OBJET DE SÉDUCTION
ET CONDAMNE MON ÂME
À UNE AMÈRE BRAVOURE

J'étais trop plein de rancœur pour me conduire raisonnablement, comme je l'ai déjà dit, et je suis sûr que vous le comprendrez, mais ce n'était pas malin de ma part d'aller chevaucher dans les forêts de Toscane aussi richement habillé, et tout seul, car toute forêt d'Italie avait nécessairement ses bandits.

D'autre part, jouer les pauvres étudiants n'aurait pas été le meilleur choix non plus, me semblait-il.

Je ne peux affirmer avoir réellement pris une décision. Le désir de vengeance sur les démons qui nous avaient détruits était l'unique préoccupation que je pouvais accueillir.

J'étais donc là, allant bon train dans l'après-midi, essayant de rester sur les routes des vallées une fois nos tours perdues de vue, essayant de ne plus pleurer comme un enfant, mais sans cesse obligé d'escalader des montagnes.

La tête me tournait. Et le paysage me procurait peu de sujets de réflexion.

Rien n'aurait pu être aussi abandonné.

Peu après mon départ, j'arrivai en vue de deux énormes châteaux en ruine, remparts et créneaux envahis par une végétation vorace, ce qui me rappela qu'ils avaient été les fiefs d'anciens seigneurs qui avaient été assez stupides pour résister à la puissance de Milan et de Florence. Cela suffisait à me faire douter de ma raison, suffisait à me faire penser que nous n'avions pas été anéantis par des démons, mais qu'une coalition d'ennemis avait mené l'assaut.

C'était une vision sinistre que ces remparts éventrés qui se dressaient contre un ciel par ailleurs clair et joyeux, et ces vestiges à demi enfouis, avec leurs masures culbutées et leurs niches votives oubliées où des Vierges ou des saints de pierre étaient envahis par les toiles d'araignée et l'ombre. Quand j'aperçus une lointaine ville perchée et bien fortifiée, je savais pertinemment qu'elle était milanaise et qu'il n'était pas question pour moi d'y monter. J'étais perdu !

Quant aux bandits, je ne rencontrai qu'une petite bande dépenaillée que j'abordai immédiatement avec un flot de paroles.

Mine de rien, cette petite cohorte d'idiots me procura un peu de distraction. Mon sang coulait aussi vite que ma langue :

« Je suis en éclaireur d'une centaine d'hommes, déclarai-je. Nous sommes à la recherche d'une bande de hors-la-loi qui prétendent combattre pour Sforza quand ce ne sont que des violeurs et des pillards ; les auriez-vous vus ? J'ai un florin pour chacun de vous si vous pouvez me donner un renseignement. Nous allons les tailler en pièces sans merci. J'en ai assez. Je suis fatigué de tout ça. »

Je leur lançai quelques pièces.

Ils détalèrent sans demander leur reste.

Mais pas avant d'avoir laissé filtrer que la ville florentine la plus proche était Santa Maddalena, qui était à deux heures de route, qu'elle fermerait ses portes à la tombée de la nuit et qu'aucune prière ne les ferait rouvrir avant le matin.

Je prétendis savoir parfaitement tout cela et être en route pour un célèbre monastère que je savais se situer plus au nord, et qu'il m'aurait été impossible d'atteindre, puis je jetai quelques pièces supplémentaires par-dessus mon épaule tandis que je piquai un galop, leur criant d'aller à la rencontre de la troupe qui me suivait, laquelle les paierait pour leurs services.

Je savais qu'ils n'avaient cessé de peser le pour et le contre, se demandant s'ils devaient me tuer et me dépouiller entièrement. C'était affaire de regards, de bluff, de langue bien pendue et de fermeté, et ils n'étaient que des fripouilles achevées, mais je parvins à m'en sortir.

Je m'éloignai aussi vite que je le pouvais, quittai la route principale et montai vers les pentes du haut desquelles je pus distinguer au loin la vague silhouette de Santa Maddalena. Une grosse ville. Je vis quatre tours massives, toutes rassemblées près des portes de la ville, et plusieurs flèches d'église qui se découpaient contre le ciel.

J'avais espéré trouver autre chose avant cette Santa Maddalena, une bourgade plus petite et moins fortifiée. Mais je ne me souvenais plus des noms et j'étais trop perdu à présent pour chercher plus loin.

Le soleil de l'après midi brillait, mais il était déjà bas sur l'horizon. Il me fallait atteindre Santa Maddalena.

Quand j'arrivai à la montagne sur laquelle cette ville était bâtie, je dus gravir d'abrupts petits sentiers de bergers.

La lumière déclinait rapidement. La forêt était trop épaisse pour être sûre si près d'une ville fortifiée. Je les maudis de n'avoir pas dégagé la montagne, mais j'avais la sécurité du couvert.

Par moments, au milieu de l'obscurité croissante, il paraissait quasiment impossible d'atteindre le sommet ; les étoiles illuminaient à présent un ciel de saphir luisant et donnaient à la ville un air de majesté drapée dans le lointain.

Enfin, la nuit indifférente s'abattit parmi les troncs épais des arbres et je dus avancer avec précaution, comptant plus sur l'instinct de mon cheval que sur ma propre vision défaillante. La pâle demi-lune semblait amoureuse des nuages. La voûte de feuillage qui me surmontait faisait du ciel lui-même un patchwork abstrait.

Je me retrouvai à prier mon père, comme s'il se tenait fidèlement à mes côtés, en compagnie de mes anges gardiens, et je pense que je croyais en lui et en sa présence plus sûrement que je n'avais jamais cru aux anges, disant : « Père, s'il vous plaît, aidez-moi à arriver là-bas. Aidez-moi à gagner un endroit sûr, afin que ces démons ne rendent pas ma vengeance impossible. »

Je serrai mon épée. Je me souvins des dagues que j'avais

glissées dans mes bottes, dans ma manche, sous ma veste et dans ma ceinture. Je m'escrimais pour discerner la lueur du ciel et je dus m'en remettre à mon cheval pour trouver son chemin parmi les épais troncs d'arbre.

Par instants, je m'immobilisais complètement. Je n'entendais pas de bruits suspects. Qui d'autre serait assez stupide pour être de sortie à la nuit tombée dans cette forêt ? Au moment où je sentais la fin de ce voyage, je trouvai la grand-route, la forêt s'éclaircit, puis céda la place à des champs et des prairies, et je pris les zigzags au galop.

Enfin, la ville s'éleva devant moi, comme cela se produit quand on atteint ses portes après un dernier virage — on semble avoir été précipité au pied d'une forteresse magique —, et je pris une grande inspiration, même si les lourdes portes étaient hermétiquement closes, à croire qu'une armée ennemie campait devant elles.

Ce devait être mon refuge.

Bien sûr, la sentinelle, un soldat endormi qui m'interpella en braillant du haut de son rempart, voulut savoir qui j'étais.

Une fois encore, l'effort d'inventer une bonne histoire me détourna des images rétives, presque incontrôlables, de la terrible Ursula et de son bras coupé, et des corps décapités de mon frère et de ma sœur agités de soubresauts sur le sol de la chapelle.

Je lançai, d'une voix humble mais avec un vocabulaire prétentieux, que j'étais un érudit au service de Cosme de Médicis venu chercher des livres à Santa Maddalena, en particulier de vieux livres de prières ayant trait aux saints et aux apparitions de la Vierge dans la région.

Quelles balivernes !

J'étais venu, déclarai-je, visiter les églises, les écoles et tous les vieux maîtres que comptait la ville, et rapporter à Cosme tout ce que je pourrais acquérir avec de la saine monnaie d'or florentine.

« Oui, mais votre nom, votre nom ! » insista le soldat en entrebâillant à peine le portillon, tenant sa lanterne à bout de bras pour m'examiner.

Je savais que j'avais belle allure sur mon cheval.

« De Bardi, déclarai-je. Antonio de Bardi, parent de Cosme », dis-je avec une féroce impudence, empruntant le
patronime de l'épouse de Cosme, car c'était le seul qui me
venait à l'esprit. « Écoutez, mon brave, acceptez ces pièces
et faites un bon dîner avec votre femme, soyez mes invités.
Dites donc, je sais qu'il se fait tard, et je suis terriblement
fatigué ! »

La porte fut ouverte. Je dus descendre de mon cheval
pour la passer, lui faisant baisser la tête, et déboucher sur
une piazza de pierre pleine d'échos.

« Au nom du Ciel, demanda la sentinelle, que faisiez-vous
dans ces bois après la nuit tombée, et seul en plus ? Ignorez-
vous les dangers ? Et si jeune ! Que sont les Bardi d'aujour-
d'hui s'ils laissent leurs secrétaires voyager sans escorte ? »
Il empocha l'argent. « Regardez-vous, à peine un enfant !
On aurait pu vous tuer pour vos boutons. Qu'est-ce qui
vous a pris ? »

C'était une immense piazza, et je voyais plus d'une rue y
converger. J'avais de la chance. Mais si les démons étaient
là aussi ? Je n'avais pas la moindre idée de l'habitat de ces
créatures ! Mais je continuai de parler.

« Tout est ma faute. Je me suis égaré. Racontez cela et
vous me mettrez dans de beaux draps, dis-je. Montrez-moi
le chemin de l'albergo. » Je lui glissai une nouvelle poignée
de pièces. « Je me suis égaré. Je n'ai pas écouté. Je suis sur
le point de m'évanouir. Il me faut du vin, à dîner et un lit.
Tenez, mon brave, non, non, prenez, j'insiste. Les Bardi
vous en voudraient de refuser. »

Il n'avait plus de poches pour y mettre l'argent, mais il se
débrouilla pour le fourrer dans sa chemise, puis me condui-
sit à la lueur d'une torche jusqu'à l'auberge, martela à la
porte, et une vieille femme au doux visage descendit, recon-
naissante des pièces que je déversai aussitôt dans ses mains,
pour me conduire à une chambre.

« Tout en haut et avec vue sur la vallée, demandai-je, si
vous voulez bien, et de quoi me restaurer, chaud ou froid,
peu importe.

— Vous ne trouverez pas un seul livre dans cette ville »,

dit la sentinelle, qui était restée là, tandis que je m'engageai dans l'escalier à la suite de la femme. « Tous les jeunes gens s'en vont ; c'est un endroit paisible, rien que de braves petits commerçants. Les jeunes d'aujourd'hui filent à l'Université. Mais c'est un endroit très agréable pour vivre, très agréable.

— Combien d'églises avez-vous ? » demandai-je à la femme quand nous eûmes atteint la chambre. Je lui dis que je devais garder la chandelle allumée pour la nuit.

« Deux dominicaines, une carmélite, dit la sentinelle qui occupait toute l'embrasure de la petite porte, et la vieille église franciscaine, qui est celle où je vais. Il n'arrive jamais rien de mauvais ici. »

La vieille femme secoua la tête et lui dit de se tenir tranquille. Elle posa la chandelle et me fit signe que je pouvais la garder.

La sentinelle continua de jacasser tandis que je restais assis sur le lit, le regard perdu dans le vide, jusqu'au moment où la vieille femme m'apporta une assiette de ragoût de mouton froid, du pain et une carafe de vin.

« Nos écoles sont strictes », poursuivit l'homme.

À nouveau, la vieille femme le pria de se taire.

« Personne n'ose semer le désordre ici », dit-il, puis tous deux disparurent.

Je me jetai sur mon assiette tel un animal. Tout ce que je voulais, c'était reprendre des forces. Dans mon chagrin, j'étais incapable de penser au plaisir. Je contemplai un moment un petit carré de ciel constellé d'étoiles, suppliant désespérément tous les saints et les anges dont je connaissais le nom de me secourir, puis je fermai soigneusement la fenêtre.

Je verrouillai la porte.

Enfin, après m'être assuré que la chandelle était bien abritée dans une encoignure, et suffisamment longue pour brûler jusqu'à l'aube, je m'écroulai sur le petit lit défoncé, trop épuisé pour retirer mes bottes ou mon épée, ou mes dagues, ou quoi que ce fût d'autre. Je croyais que j'allais plonger aussitôt dans un profond sommeil, mais je restai raide de haine et de douleur, l'âme suppurante, fixant l'obscurité, la bouche pleine d'une humeur âpre, comme si j'avais mordu la mort à belles dents.

J'entendais au loin le bruit de mon cheval qui se faisait panser à l'écurie, et un pas solitaire sur le pavé de la rue déserte. J'étais à l'abri, c'était déjà ça.

Enfin le sommeil me gagna. Il s'empara de moi complètement, tendrement ; le filet de nerfs qui m'avait tenu dans une suspension pleine de rage s'était dissous tout simplement, et je sombrai dans une obscurité sans rêve.

Je fus conscient de ce doux point où rien n'importe plus que dormir, reprendre des forces sans craindre les cauchemars, tomber dans le néant.

Un bruit me réveilla. Je fus immédiatement sur le qui-vive. Je portai la main à mon épée avant même d'avoir ouvert les yeux. La chandelle était éteinte. J'étais étendu sur le lit étroit, dos au mur, la chambre devant moi baignant dans une lumière qui semblait ne pas avoir de source. Je distinguais la porte verrouillée, mais je ne pouvais voir la fenêtre à moins de tourner la tête pour regarder en l'air, et je savais, savais avec certitude, que cette fenêtre, lourdement barrée, avait été forcée. La faible lueur qui tombait sur le mur venait du ciel. C'était une lumière fragile, faible, qui coulait le long des murs de la ville et donnait à ma chambre des allures de prison.

Je sentis l'air frais envelopper mon cou. Je serrai bien fort l'épée, écoutant, attendant. Il y avait de légers craquements. Le lit avait bougé imperceptiblement, comme sous l'effet d'une pression.

Je n'arrivais pas à accommoder ma vue. Soudain l'ombre envahit tout, et de cette ombre s'éleva une forme devant moi, une silhouette penchée, une femme qui me dévisageait droit dans les yeux tandis que ses cheveux m'effleuraient.

C'était Ursula.

Son visage était à moins d'un pouce du mien. Sa main, très fraîche et lisse, enferma la mienne sur la garde de mon épée, avec une force implacable, puis elle caressa mes joues de ses cils et embrassa mon front.

J'étais noyé dans la douceur, si ardente que fût ma rébellion. Un flot sordide de sensations pénétrait jusqu'au plus profond de mes entrailles.

« Strega ! la maudis-je.

— Je ne les ai pas tués, Vittorio. » Sa voix était implorante, mais avec une dignité et une force étrangement sonore, bien que ce fût une toute petite voix, très jeune de ton et féminine de timbre.

« Tu les emmenais », lui dis-je. J'essayai de me libérer dans un spasme violent. Mais sa main m'immobilisait fermement et, quand je réussis à tirer mon bras gauche de sous mon corps, elle saisit mon poignet et m'embrassa.

Elle exhalait ce magnifique parfum que j'avais déjà humé, et la caresse de ses cheveux sur mon visage et dans mon cou me donna des frissons dont j'eus honte.

J'essayai de détourner la tête, et elle laissa ses lèvres effleurer doucement, presque respectueusement, mes joues.

Je sentis la longueur de son corps sur moi, le renflement marqué de ses seins sous une étoffe précieuse, et la lisse splendeur de ses cuisses enserrant les miennes. Sa langue toucha mes lèvres. Lécha mes lèvres.

J'étais pétrifié par les frissons qui me parcouraient, m'humiliant et échauffant les passions en moi.

« Va-t'en, strega », murmurai-je.

Plein de rage, je ne pouvais calmer le lent embrasement qui avait saisi mes reins ; je ne pouvais arrêter les sensations extatiques qui traversaient mes épaules, descendaient le long de mon dos et allaient se perdre dans mes jambes.

Ses yeux luisaient au-dessus de moi. Je devinais le battement de ses paupières plus que je ne le voyais de mes propres yeux, et de nouveau ses lèvres se refermèrent sur les miennes, suçant ma bouche, l'asticotant, puis elle se retira et pressa sa joue contre la mienne.

Sa peau, qui m'avait paru si semblable à de la porcelaine, était plus douce au toucher qu'une plume d'eider. Ah ! Elle semblait tout entière être une poupée moelleuse, faite d'une matière succulente et magique, beaucoup plus élastique que la chair et le sang, mais tout aussi ardente qu'eux, car une chaleur sourdait d'elle en élancements rythmés, émanant directement de la fraîcheur de ses doigts qui caressaient mes poignets en même temps qu'elle les tenait, et la chaleur de sa langue dardait mes lèvres, contre ma volonté, d'une force humide, délicieuse et véhémente contre laquelle je ne pouvais rien.

Il se forma dans mon esprit enfiévré l'idée qu'elle avait utilisé l'intensité de mon propre désir pour vaincre mes défenses, que la folie charnelle avait fait de moi un corps bâti sur une armature métallique qui ne pouvait s'empêcher de conduire le feu qu'elle déversait dans ma bouche.

Elle retira sa langue et aspira de nouveau mes lèvres. Mon visage tout entier me picotait. Tous mes membres luttaient à la fois pour la repousser et pour la toucher, oui, pour l'embrasser mais en la combattant.

Elle se cambra contre la preuve même de mon désir. Je n'aurais pu la cacher. Je la haïssais.

« Pourquoi ? Pour quelle raison ! » fis-je, dégageant ma bouche. Ses cheveux coulèrent de part et d'autre quand elle releva la tête. J'étais à peine capable de respirer à force de plaisir quasi surnaturel.

« Lâche-moi, dis-je, et retourne en Enfer ! Que signifie cette pitié pour moi ? Pourquoi me faire ça ?

— Je ne sais pas, répondit-elle de sa voix intelligente et farouche. Peut-être est-ce seulement que je ne veux pas que tu meures », dit-elle, haletant contre ma poitrine. Ses paroles étaient rapides, comme son pouls affolé. « Peut-être davantage, dit-elle. Je veux que tu t'en ailles, que tu descendes à Florence, que tu t'en ailles et oublies tout ce qui est arrivé, comme si c'étaient des cauchemars ou des hallucinations, comme si rien de tout cela n'avait eu lieu ; quitte cette ville, va, tu le dois.

— Cesse tes mensonges odieux, dis-je avant de pouvoir me réfréner. Tu crois que je vais faire ça ? Tu as assassiné ma famille, toi, oui, toi et les tiens, qui que vous soyez ! »

Sa tête bascula et ses cheveux m'emprisonnèrent. Je luttai en vain pour me libérer. C'était impossible. Je ne pouvais desserrer son étreinte.

Tout était noirceur et indescriptible douceur. Je sentis

une soudaine piqûre dans mon cou, à peine une griffure d'épingle, et mon esprit fut envahi par le bonheur le plus paisible.

Il semblait que j'eusse basculé dans une prairie venteuse et couverte de fleurs, très loin de ce lieu et de toutes les peines, et elle était allongée auprès de moi, tombée contre des tiges silencieusement écrasées et des iris résignés, Ursula aux cheveux de cendre défaits, et elle souriait avec les yeux les plus charmeurs et engageants, fervents, peut-être même brillants, comme si nous étions saisis d'un ravissement complet du corps et de l'esprit. Elle grimpa sur ma poitrine et, bien qu'elle me chevauchât, me contemplant avec des lèvres exquises et souriantes, elle écarta doucement les cuisses afin que je la pénètre.

C'était un mélange absolument délirant, la poche secrète, humide et pulsative, entre ses jambes, et ce flot d'éloquence silencieuse qui ruisselait de son regard tandis qu'elle me contemplait amoureusement.

Brusquement, cela cessa. J'étais pris de vertiges. Ses lèvres étaient sur mon cou.

J'essayai de la repousser de toutes mes forces.

« Je te détruirai, dis-je. Je le ferai. Je le jure. Même si je dois te pourchasser jusque dans la bouche des Enfers », murmurai-je.

Je m'escrimais tant et si bien pour échapper à son étreinte que ma propre chair brûlait contre la sienne. Mais elle refusait de lâcher prise. Je tentai de m'éclaircir les idées. Non, aucun rêve de douceur, non.

« Va-t'en loin de moi, sorcière.

— Chut, reste tranquille, dit-elle d'une voix affligée. Tu es si jeune, si buté, si brave. J'ai été jeune comme toi. Oh, oui, si déterminée ! Un vrai parangon de hardiesse !

— Ne déverse pas ton ordure dans mon oreille, dis-je.

— Chut, répéta-t-elle. Tu vas réveiller toute la maison. Quel bien cela fera-t-il ? » Comme elle paraissait désolée, sincère et charmante ! Sa voix seule aurait pu me séduire depuis l'ombre d'un rideau. « Je ne pourrai pas te protéger

éternellement, dit-elle, ni même encore très longtemps. Va,
Vittorio. »

Elle se recula afin que je pusse mieux voir ses grands
yeux sincères et abandonnés. Elle était un chef-d'œuvre. Et
pareille beauté, le parfait simulacre de l'ennemie que j'avais
vue dans l'incendie de ma chapelle, n'avait besoin de nulle
potion ni d'aucun sort pour promouvoir sa cause. Elle était
parfaite et intimement sublime.

« Oh, oui, avoua-t-elle, fouillant mon visage de ses yeux
à demi visibles, et je vois une telle beauté en toi qu'elle me
tiraille le cœur, dit-elle. C'est injuste, déloyal. Pourquoi dois-
je souffrir ceci en plus de tout le reste ? »

Je me débattis. Je ne voulais pas répondre. Je ne voulais
pas alimenter cet embrasement énigmatique et infernal.

« Vittorio, pars d'ici, dit-elle en baissant la voix de
manière encore plus douce et menaçante. Tu n'as que
quelques nuits, peut-être même pas. Si je reviens te voir, je
risque de les conduire à toi. Vittorio... N'en parle à personne
à Florence. On se moquerait de toi. »

Elle avait disparu.

Le lit grinçait et oscillait. J'étais couché sur le dos, les
poignets endoloris par la pression de ses mains et, au-dessus
de moi, la fenêtre béait sur la lumière uniformément grise,
le mur qui faisait face à l'auberge s'élevant vers un ciel que
je ne pouvais apercevoir en raison de ma position et de mon
immobilité.

J'étais seul dans la chambre. Elle avait disparu.

Soudain, je donnai l'ordre à mes membres de bouger,
mais avant que j'eusse pu esquisser un mouvement, elle
réapparut dans la fenêtre, visible de la taille au sommet de
sa tête inclinée, me contemplant, et de ses mains elle déchira
la bordure brodée de sa robe et me présenta ses seins nus
et blancs — petits, arrondis, très proches l'un de l'autre,
avec des mamelons mutins, visibles par leur seule teinte plus
sombre. De sa main droite, elle érafla son sein gauche, juste
au-dessus du téton, et le fit saigner.

« Sorcière ! »

Je me levai pour me saisir d'elle, pour la tuer, et je sentis sa main attraper ma tête, puis la pression de son sein gauche dans ma bouche, irrésistiblement fragile et ferme cependant. Une fois encore, tout ce qui était réel fondit et fut balayé comme le panache de fumée nonchalante s'élevant d'un feu, et nous étions ensemble dans la prairie qui n'appartenait qu'à nous, qu'à nos actives et inséparables étreintes. Je tétais son lait comme si elle était vierge et mère, pucelle et reine, tout en pulvérisant de mes poussées toute fleur qui serait restée en elle à déchirer.

Libéré, je tombai. Impuissant, incapable même de lever une main pour l'empêcher de s'envoler, je retombai, faible et stupide, sur le lit, le visage humide et les membres tremblants.

Je ne pouvais m'asseoir, je ne pouvais rien faire. Je voyais par éclairs notre champ de tendres iris jaunes et pourpres, les plus adorables fleurs de Toscane, les iris sauvages de notre terre, fleurissant au milieu de l'herbe la plus verte, et je la vis s'éloigner en courant. Cependant, tout cela était translucide, paré de couleur légère, et ne pouvait masquer la minuscule cellule qu'était toujours ma chambre, mais seulement planer, comme un voile tiré devant mon visage, pour me tourmenter de sa douceur soyeuse et piquante.

« Des sorts ! murmurai-je. Mon Dieu, si vous m'avez jamais confié à des anges gardiens, le moment est venu de les réveiller afin qu'ils me couvrent de leurs ailes ! » Je soupirai. « J'ai besoin d'eux. »

Enfin, tremblant de tous mes membres et le regard brouillé, je me relevai. Je me frottai le cou. Des frissons parcouraient mon échine et l'arrière de mes bras. Mon corps était toujours plein de désir.

Je fermai violemment les yeux, refusant de penser à elle, mais cherchant pourtant n'importe quoi, n'importe quelle source de stimulation qui apaiserait ce besoin horrible.

Je me recouchai et demeurai complètement immobile jusqu'à ce que cette folie charnelle m'eût quitté.

Je redevins homme alors, pour n'avoir point été, à l'aveuglette, un homme.

Je me levai, prêt aux larmes, et je descendis avec ma chandelle dans la grande salle de l'auberge, essayant de ne pas faire de bruit dans l'escalier en spirale aux pierres inégales et y trouvai du feu à une chandelle pendue à un crochet du mur, au débouché du passage, puis je remontai, agrippé à cette petite lumière réconfortante, protégeant la flamme tremblante de ma main arrondie et priant toujours, puis posai la chandelle.

Je grimpai voir ce que je pouvais depuis la fenêtre.

Rien, rien d'autre qu'un à-pic vertigineux, un mur tout droit qu'une créature de chair et de sang n'aurait jamais pu escalader, et, au-dessus, le ciel muet, passif, où les quelques étoiles avaient été voilées par des nuages cotonneux comme pour récuser mes prières ou ma situation.

Il semblait absolument certain que j'allais mourir.

J'allais être victime de ces démons. Elle avait raison. Comment pourrais-je jamais exercer la vengeance qu'ils méritaient ? Comment diable le pourrais-je ? Cependant, j'avais entièrement foi en mon dessein. Je croyais en ma vengeance aussi complètement que je croyais en elle, cette sorcière que j'avais touchée de mes propres doigts, qui avait osé embraser un conflit absurde dans mon âme, qui était venue avec ses camarades de la nuit massacrer ma famille.

Je ne pouvais maîtriser les images de la nuit précédente, de sa pose ahurie se découpant dans la porte de la chapelle. Je ne pouvais détacher son goût de mes lèvres. Tout ce que j'avais à faire, c'était de penser à ses seins, et mon corps faiblissait comme si elle nourrissait mon désir de son téton.

Apaise ceci, priai-je. Tu ne peux pas t'enfuir. Tu ne peux pas partir pour Florence, tu ne peux pas vivre à tout jamais avec pour seul souvenir celui du massacre auquel tu as assisté, c'est impossible, impensable. Tu ne peux pas.

J'éclatai en sanglots quand je compris que je ne serais plus en vie à cette heure si elle n'avait été là.

C'était elle, la créature aux cheveux cendrés que je maudissais à chaque inspiration, elle qui avait demandé à son compagnon encapuchonné de m'épargner. La victoire aurait été complète !

Un grand calme m'envahit. Eh bien, si je devais mourir,

je n'avais pas le choix, vraiment pas. Je me vengerais d'abord. Je ne savais comment, mais je le ferais.

Dès que le soleil fut levé, je fis de même, et, parcourant la ville à pied, mes fontes négligemment jetées sur l'épaule, comme si elles ne contenaient pas une fortune, je visitai une bonne partie de Santa Maddalena, avec ses rues sans arbres aux pavés étroits, construites des siècles plus tôt, certains de ses bâtiments à l'appareil irrégulier remontant peut-être même à l'Antiquité romaine.

C'était une ville merveilleusement tranquille et prospère.

Les forgerons étaient déjà au travail, tout comme les ébénistes et les selliers ; il y avait plusieurs cordonniers, qui proposaient de fins souliers à côté des bottes à usage quotidien, et bon nombre de joailliers et d'orfèvres travaillant une vaste gamme de métaux précieux, à côté des habituels fabricants d'épées, serruriers, pelletiers et fourreurs.

Je passai plus de commerces de fantaisie que je n'en pouvais compter. On pouvait acheter toutes sortes d'étoffes ici, droit venues de Florence, supputais-je, et des dentelles du Nord et du Sud, semblait-il, et des épices orientales. Les bouchers avaient de quoi s'occuper avec une abondance de viande fraîche. Il y avait aussi de nombreux marchands de vin, et je passai devant plusieurs notaires, écrivains publics et autres clercs, tous fort occupés, et plusieurs médecins ou, plutôt, apothicaires.

Des charrettes entraient par les portes de la ville, et il y avait même un peu de bousculade de temps à autre dans les rues, avant que le soleil ne fût assez haut pour écraser de chaleur les toits aux tuiles serrées et les pierres nues sur lesquelles je grimpais péniblement vers le haut de la ville.

Les églises sonnaient leurs cloches pour appeler à la messe, et je vis des nuées d'écoliers passer en courant, tous plutôt propres et bien habillés, puis deux petits bataillons bien rangés que des moines conduisaient dans les églises, toutes deux très anciennes et qui ne portaient aucun ornement en façade, excepté des statues engoncées dans leur niche — des saints dont les traits étaient presque complètement effacés —, les pierres abondamment rejointées des

façades ayant manifestement subi l'épreuve des tremble-
ments de terre fréquents dans la région.

Il y avait deux commerces de livres, très ordinaires, qui
n'offraient pas grand-chose, sauf les livres de prières qu'on
pouvait s'attendre à y trouver, et ce pour un prix fort élevé.
Deux marchands vendaient de très fines porcelaines
d'Orient. Et il y avait aussi un groupe de marchands de tapis
qui présentaient une impressionnante variété de produits
locaux et de tapis aux motifs complexes venus de Byzance.

Beaucoup d'argent passait de main en main. Des gens
bien habillés faisaient parade de leurs beaux atours. L'endroit semblait se suffire à lui-même, même si des voyageurs
arrivaient, les heurts des sabots de leurs chevaux résonnant
entre les murs nus. Et il me sembla reconnaître un couvent
délabré et puissamment fortifié.

Je passai devant au moins deux autres auberges, et, à
force de sillonner les ruelles à peine praticables, je détermi-
nai qu'il y avait en fait trois rues principales dans la ville,
courant toutes trois parallèlement du haut en bas de la
colline.

Tout en bas se trouvaient les portes par où j'étais entré et
l'immense marché paysan qui occupait à présent la piazza.

L'extrémité supérieure était occupée par le château, ou
forteresse, en ruine, où avait autrefois vécu le seigneur —
une imposante masse de vieilles pierres dont une partie seulement était visible depuis la rue. Dans les étages inférieurs
de ce complexe étaient installés les bureaux de l'administra-
tion municipale.

Il y avait plusieurs petites piazzas et de vieilles fontaines
presque entièrement rongées mais délivrant toujours leurs
eaux gargouillantes. De vieilles femmes s'affairaient, trotti-
nant avec leur panier et leur châle en dépit de la chaleur ;
quelques belles jeunes filles me lancèrent des œillades,
toutes très jeunes.

Je ne voulais rien savoir d'elles.

Aussitôt que la messe fut terminée et l'école commencée,
j'allai à l'église dominicaine — la plus grande et la plus

impressionnante des trois que j'avais vues — et demandai un prêtre au presbytère. Je devais aller à confesse.

Apparut un jeune prêtre, très beau, avec des membres bien tournés, un teint pimpant et l'air fort dévot dans son habit noir et blanc immaculé. Il observa mon accoutrement et mon épée, m'examina en vérité avec beaucoup de respect, mais de pied en cap, et, ayant déterminé que je devais être une personne d'importance, m'invita dans une petite pièce pour la confession.

Il était aimable et plus qu'obséquieux. Il n'avait guère plus qu'une couronne de cheveux blonds taillés très court autour du sommet de son crâne chauve, et de grands yeux presque timides.

Il s'assit ; je m'agenouillai près de lui sur le sol nu et dévidai la somme de mon épouvantable récit.

Tête baissée, je parlai sans fin, courant d'une chose à l'autre, des premiers événements atroces qui m'avaient mis aux aguets, mon inquiétude aux paroles fragmentaires et mystérieuses de mon père, et enfin à l'attaque elle-même et au terrible massacre de tous les habitants de notre enceinte. Lorsque j'en arrivai à la mort de mon frère et de ma sœur, je gesticulais comme un dément, brossant presque le portrait de mon frère avec mes mains, et je suffoquais, incapable de reprendre mon souffle.

Ce n'est qu'une fois arrivé au terme de mon récit que je levai les yeux et découvris que le jeune prêtre me contemplait avec une expression de complet désarroi et d'horreur.

Je ne savais pas ce qu'il fallait en penser. On aurait pu voir ce même visage chez un homme surpris par un insecte ou par l'approche d'un bataillon de meurtriers assoiffés de sang.

À quoi m'étais-je attendu, pour l'amour du Ciel ?

« Écoutez, mon père, dis-je. Tout ce que vous avez à faire, c'est envoyer quelqu'un en haut de cette montagne et qu'il vous rapporte ce qu'il aura vu ! » Je haussai les épaules et l'implorai, paumes ouvertes. « C'est tout ! Envoyez quelqu'un voir. Rien n'a été volé, mon père, rien n'a été pris d'autre que ce que j'ai emporté ! Allez voir ! Je parie que rien n'a été dérangé, sinon par les corbeaux et les buses, si tant est qu'ils montent là-haut. »

Il ne dit rien. Le sang palpitait dans son visage juvénile, sa bouche était ouverte et ses yeux paraissaient à la fois saisis et misérables.

Oh, c'était trop ! Un prêtre onctueux, probablement fraîchement émoulu du séminaire, habitué à entendre des religieuses parler de leurs mauvaises pensées et les hommes, une fois l'an, marmonner d'amers propos sur les vices de la chair parce que leurs épouses les avaient invités à remplir leur devoir.

Je devins fou furieux.

« Vous êtes sous le sceau de la confession », dis-je, essayant d'être patient avec lui et de ne pas trop jouer les seigneurs, car j'en étais capable avec les prêtres si je ne me surveillais pas ; ils me rendaient fous quand ils étaient idiots. « Mais je vais vous donner la permission, sous ce sceau, d'envoyer un messager en haut de cette montagne afin qu'il vous rapporte ce qu'il aura vu de ses propres yeux...

— Mais, mon fils, dit-il, parlant avec une résolution et une fermeté surprenantes dans sa voix grave. Les Médicis eux-mêmes ont pu envoyer cette bande d'assassins.

— Non, non, non, mon père, plaidai-je en secouant la tête. J'ai vu son bras tomber. J'ai coupé le bras de cette créature, je vous le dis. Je l'ai vue le remettre en place. C'étaient des démons. Écoutez-moi ! Ce sont des sorciers, ces êtres viennent de l'Enfer, et ils sont trop nombreux pour que je les combatte seul. J'ai besoin d'aide. Il n'y a pas de temps pour l'incrédulité. Il n'y a pas de temps pour l'examen rationnel. J'ai besoin des dominicains ! »

Il secoua la tête et n'hésita même pas.

« Vous perdez la tête, mon fils, dit-il. Il vous est arrivé quelque chose de terrible, il n'y a aucun doute, et vous y croyez fermement, mais cela ne s'est pas produit. Vous imaginez des choses. Écoutez, il y a par ici des vieilles femmes qui prétendent faire des sortilèges...

— Je connais tout cela, dis-je. Je sais reconnaître un alchimiste ordinaire ou une jeteuse de sorts quand j'en vois.

Ce n'était pas de la magie d'arrière-boutique, mon père, pas des sortilèges campagnards. Je vous le dis, ces démons ont massacré tout le monde dans le château, dans les villages. Vous ne comprenez donc pas ? »

Je repartis dans les détails atroces. Je lui racontai comment elle était entrée par la fenêtre de ma chambre, mais, à mi-chemin, je compris à quel point je faisais fausse route en m'étendant sur Ursula.

Quoi ! cet homme pensait que je m'étais réveillé au milieu d'un rêve érotique, imaginant je ne sais quel succube. Toute cette entreprise était vaine.

Mon cœur me faisait mal dans ma poitrine. J'étais en nage. Je perdais mon temps.

« Donnez-moi l'absolution, alors, dis-je.

— Je voudrais vous demander quelque chose », dit-il. Il toucha ma main. Il tremblait. Il semblait encore plus sidéré et perplexe qu'auparavant, et très soucieux de ma santé mentale, supposai-je.

« De quoi s'agit-il ? » fis-je fraîchement. Je voulais m'en aller. Je devais trouver un monastère ! Ou un alchimiste. Il y avait des alchimistes dans cette ville. Je devais trouver quelqu'un, quelqu'un qui ait lu les écrits des anciens, les œuvres d'Hermès Trismégiste ou de Lactance ou de saint Augustin, quelqu'un qui s'y connût en démons.

« Avez-vous lu saint Thomas d'Aquin ? » demandai-je, choisissant le démonologue le plus évident qui me vînt à l'esprit. « Il dit tout sur les démons, mon père. Écoutez, pensez-vous que j'aurais cru tout cela moi-même l'an passé à pareille date ? Je croyais que la sorcellerie n'était que prestidigitation et escroquerie. Ceux-là étaient des démons ! » Je refusais d'en démordre. Je me jetai sur lui.

« Mon père, dans la *Summa theologiae,* au premier livre, saint Thomas parle des anges déchus : il dit que certains d'entre eux ont le droit de séjourner ici, sur terre, si bien que tous ces anges déchus ne sont pas complètement étrangers à l'ordre naturel des choses. Ils sont ici, autorisés à se rendre utiles, à tenter les hommes, et, mon père, ils ont le feu de l'Enfer en eux ! Cela se trouve chez saint Thomas.

Ils sont ici. Ils ont... ont... des corps que nous ne pouvons comprendre. La *Summa* le dit. Elle dit que les anges ont des corps qui sont au-delà de notre intelligence ! C'est ce que possède cette femme. » Je luttai pour me remémorer la discussion exacte. Je luttai avec le latin. « C'est ce qu'elle fait, cette créature ! C'est une forme, c'est une forme limitée, mais une forme que je ne peux comprendre, et elle était là, je le sais du fait de ses actes. »

Il leva la main pour requérir ma patience

« Mon fils, dit-il. Permettez-moi de confier au Pasteur ce que vous m'avez confessé, me demanda-t-il. Vous comprenez que, si je fais cela, lui aussi sera lié par le même sceau de la confession. Mais permettez-moi de lui demander de venir et de lui raconter ce que vous m'avez dit, et il vous parlera. Vous comprenez que je ne puis rien faire de tout cela sans votre permission.

— Oui, je le sais, dis-je. Quel bien en ressortira-t-il ? Faites-moi voir ce Pasteur. »

Je devenais beaucoup trop altier, trop impertinent. J'étais épuisé. Je me laissai aller au vieux caprice des signori qui traitent un prêtre de campagne comme un serviteur. Il s'agissait d'un homme de Dieu, et je devais me ressaisir. Peut-être le Pasteur avait-il lu plus, compris plus. Oh, mais qui comprendrait s'il n'avait pas vu ?

Il me revint un souvenir fugace, mais vif et fulgurant, du visage inquiet de mon père ce soir-là, à la veille de la nuit où les démons avaient frappé. La douleur était inexprimable.

« Je suis désolé, mon père », dis-je au prêtre. Je tressaillis, essayant de refouler ce souvenir, cet horrible compendium de misère et de désespoir, allant même jusqu'à me demander pourquoi, au nom du Ciel, pourquoi nous venons au monde.

Puis les paroles de mon exquise persécutrice me revinrent, sa voix brisée, la nuit dernière, disant qu'elle avait été jeune, elle aussi, et un véritable parangon. Qu'avait-elle voulu dire en parlant d'elle-même avec un pareil chagrin ?

Mon étude de Thomas revint me hanter. Les démons

n'étaient-ils point censés demeurer confinés dans leur haine pour nous ? Dans l'orgueil qui les avait fait pécher ?

Tel n'était pas le cas de la créature sinueuse et lascive qui était venue à moi. Mais c'était de la folie. Je compatissais à son malheur, ce qui était exactement ce qu'elle attendait de moi. Je n'avais qu'un nombre limité d'heures diurnes pour préparer sa destruction et ne devais pas tarder.

« S'il vous plaît, mon père, oui, comme il vous semblera, dis-je. Mais bénissez-moi d'abord. »

Ma demande le tira de ses ruminations fiévreuses. Il me regarda comme si je l'avais surpris.

Aussitôt, il me donna sa bénédiction et son absolution.

« Faites comme bon vous semblera avec le Pasteur, dis-je. Oui, s'il vous plaît, demandez au Pasteur s'il veut bien me recevoir. Et tenez, pour la paroisse. » Je lui donnai plusieurs ducats.

Il contempla l'argent. Mais il n'y toucha pas. Il regardait cet argent comme si ç'avait été des charbons ardents.

« Prenez-le, mon père. Vous avez là une somme coquette. Prenez-la.

— Non, attendez ici ; ou, plutôt, suivez-moi et installez-vous dans le jardin. »

Le jardin était adorable, un balcon de verdure d'où l'on apercevait la ville sur la droite, blottie entre les murs et le château, et, au-delà, les montagnes. Il y avait une vieille statue de saint Dominique, une fontaine et un banc, et une vieille inscription gravée dans la pierre parlant d'un miracle.

Je m'assis sur le banc. Je levai les yeux vers le ciel d'un bleu étincelant où couraient les nuages d'un blanc virginal, et j'essayai de retrouver mon souffle intérieur. Pouvais-je être devenu fou ? me demandai-je. C'était absurde.

Le Pasteur me surprit. Il débaula de la porte voûtée du presbytère, vieil homme presque chauve, avec un petit nez protubérant et de grands yeux féroces. Le jeune prêtre courait derrière lui.

« Sortez d'ici, me dit le Pasteur dans un murmure. Quittez notre ville. Éloignez-vous d'elle, et ne racontez vos histoires à personne, c'est compris ?

— Comment ? demandai-je. Quel genre de réconfort est-ce là ? »

Il écumait. « Je vous avertis !

— Vous m'avertissez de quoi ? » demandai-je. Je ne pris pas la peine de me lever. Il m'incendiait du regard. « Vous êtes sous le sceau de la confession. Qu'allez-vous faire si je ne pars pas ? demandai-je.

— Je n'ai rien à faire, c'est comme ça, un point c'est tout ! dit-il. Partez et emportez vos ennuis avec vous. »

Il s'interrompit, manifestement perdu, embarrassé peut-être, comme s'il avait dit quelque chose qu'il regrettait. Il grinça des dents et détourna le regard, puis revint à moi.

« Pour votre bien, partez », dit-il dans un murmure. Il se tourna vers l'autre prêtre. « Laissez-nous, dit-il, je dois lui parler. »

Le jeune prêtre était en pleine panique. Il s'en alla immédiatement.

Je levai les yeux vers le Pasteur.

« Partez, me dit-il de sa voix sourde et méchante, sa lèvre inférieure retroussée découvrant ses dents. Sortez de notre ville. Quittez Santa Maddalena. »

Je le dévisageai avec un froid mépris. « Vous êtes au courant, n'est-ce pas ? dis-je à voix basse.

— Vous êtes fou. Fou ! dit-il. Si vous parlez de démons aux gens d'ici, vous allez vous-même finir sur le bûcher, brûlé comme sorcier. Ne vous en rendez-vous pas compte ? »

Il y avait de la haine dans ses yeux, une haine qu'il ne dissimulait pas.

« Oh, pauvre prêtre maudit ! dis-je, vous êtes de mèche avec le Diable.

— Sortez ! » gronda-t-il.

Je me levai et plongeai mon regard dans ses yeux exorbités, sa bouche boudeuse, surmenée.

« Je vous mets en garde : ne brisez pas le sceau de ma confession, mon père, dis-je. Si vous le faites, je vous tuerai. »

Il me contemplait, immobile.

Je souris très froidement et pris la direction du presbytère pour sortir.

Il me courut après, chuchotant comme une bouilloire fumante. « Vous n'avez rien compris, vous êtes fou, vous imaginez des choses. J'essaie de vous sauver de la persécution et de l'infamie. »

À la porte de l'église, je me retournai et le fis taire d'un regard incendiaire.

« Vous vous êtes trahi, dis-je. Vous êtes sans pitié. N'oubliez pas ce que je vous ai dit. Brisez le sceau, et je vous tuerai. »

Il était aussi effrayé à présent que le jeune prêtre l'avait été.

Je restai un long moment à contempler l'autel, l'ignorant, l'oubliant complètement, mon esprit prétendant être occupé à ses pensées, à méditer et à projeter, quand tout ce dont j'étais capable était d'endurer. Puis je fis un signe de croix et je quittai l'église.

J'étais profondément désespéré.

Pendant un moment, je marchai sans but. Redisons-le, c'était tout simplement la plus jolie ville que j'eusse jamais vue, avec des habitants tous actifs et heureux, des rues pavées bien balayées, des jardinières de fleurs à toutes les fenêtres, et des gens joliment habillés qui vaquaient à leurs affaires.

C'était l'endroit le plus propre que j'eusse jamais vu de toute ma vie, et le plus heureux. Quant aux gens, ils étaient tous désireux de me vendre leurs marchandises, même s'ils n'insistaient pas beaucoup. Mais c'était une ville terriblement morne en un sens. Il n'y avait aucun garçon de mon âge, du moins je n'en avais pas vu. À vrai dire, il n'y avait pas non plus beaucoup d'enfants.

Que faire ? Où aller ? Que chercher ?

Je ne savais pas du tout comment répondre à mes propres questions, mais j'étais certainement sur mes gardes, à l'affût du moindre indice prouvant que cette ville était le port d'attache des démons, que ce n'était pas Ursula qui m'avait retrouvé ici, mais moi qui avais accouru chez elle.

Le simple fait de penser à elle me terrassa d'une vague fraîche et séduisante de désir. Je vis ses seins, sentis son goût, revis dans un éclair flou la prairie en fleurs. Non !

Réfléchis. Dresse un plan. Quant à cette ville, peu importait ce que savait le prêtre, ces gens étaient trop sains pour abriter des démons.

5

Le prix de la paix
et le prix de la vengeance

Quand la chaleur du jour commença à s'élever sensible-
ment, j'allais sous la tonnelle de l'auberge pour y prendre
un copieux déjeuner, m'installant à une place solitaire sous
la glycine qui fleurissait magnifiquement sur le treillage.
L'auberge était située du même côté de la ville que l'église
dominicaine, et on y jouissait d'une vue ravissante sur la
cité, à gauche, et sur les montagnes, au loin.

Je fermai les yeux et, m'accoudant à la table, je joignis les
mains pour prier. « Seigneur, dites-moi que faire. Montrez-
moi ce qui doit être fait. » Alors la paix gagna mon cœur et
j'attendis en réfléchissant.

Quelles étaient mes possibilités ?

Rapporter ce récit à Florence ? Qui le croirait ? Aller voir
Cosme en personne et lui raconter mon histoire ? Quelle
que fût mon admiration pour les Médicis et ma confiance
en eux, je devais garder les pieds sur terre. Personne d'autre
de ma famille n'était vivant. Moi seul pouvais revendiquer
notre fortune dans la banque Médicis. Je ne pensais pas que
Cosme refuserait de reconnaître ma signature ou mon
visage. Il me remettrait ce qui m'appartenait, que j'eusse des
parents ou non. Mais si j'étais impliqué dans une histoire de
démons ? Je finirais enfermé dans une geôle florentine !

Et le bûcher, être brûlé comme sorcier ? Improbable.
Mais certainement pas impossible. Cela pouvait arriver aussi
subitement que spontanément dans une ville telle que celle-
ci, une foule rassemblée, la dénonciation par un prêtre local,

des gens criant et accourant voir ce qui se passe. Cela se produisait de temps à autre.

À cet instant, on m'apporta mon repas, une vaste corbeille de fruits frais et un plat d'agneau en sauce bien cuit, et, comme je commençais à tremper mon pain et à manger, apparurent deux hommes qui demandèrent la permission de s'asseoir et de m'offrir une coupe de vin.

Je vis que l'un d'eux était un franciscain, un prêtre à l'air très aimable, plus pauvre me sembla-t-il que les dominicains, ce qui était logique, faut-il croire, et l'autre un vieil homme aux petits yeux pétillants et aux épais sourcils blancs, dressés comme s'ils étaient amidonnés, comme s'il s'était déguisé en elfe joyeux pour amuser les enfants.

« Nous vous avons vu entrer chez les dominicains, dit tranquillement et poliment le franciscain, avec un grand sourire. Vous n'aviez pas l'air très heureux en ressortant. » Il cligna des yeux. « Pourquoi vous n'essayez pas avec nous ? » Et il éclata de rire. Ce n'était rien de plus qu'une plaisanterie joviale et, je le savais, une allusion à la rivalité entre les deux ordres. « Vous êtes un jeune homme de belle prestance ; vous venez de Florence ? demanda-t-il.

— Oui, mon père, je voyage, répondis-je, mais je ne saurais dire où je vais. Je vais faire étape ici quelque temps, je pense. » Je parlais la bouche pleine, mais j'étais trop affamé pour arrêter. « Asseyez-vous, je vous en prie. » J'esquissai le mouvement de me lever, mais ils s'assirent.

Je commandai un nouveau pichet de vin rouge.

« Eh bien, vous n'auriez pu trouver meilleur endroit, dit le vieil homme, qui semblait avoir tous ses esprits. C'est pourquoi je suis tellement heureux que Dieu ait renvoyé mon propre fils ici même servir notre église, de sorte qu'il puisse vivre auprès de sa famille.

— Ah, vous êtes donc père et fils ? fis-je.

— Oui, et je n'aurais jamais cru vivre assez longtemps pour voir une telle prospérité gagner cette ville, dit le père. C'est miraculeux.

— Oui, c'est la bénédiction divine, dit le prêtre avec innocence et sincérité. C'est stupéfiant.

— Oh, vraiment, expliquez-moi cela. Que s'est-il passé ? » demandai-je. Je poussai la corbeille de fruits vers eux. Mais ils me dirent qu'ils avaient déjà mangé.

« Eh bien, de mon temps, dit le père, vous savez, nous avions plus que notre part de malheurs, ou c'est du moins le sentiment que j'avais. Mais maintenant ? C'est la parfaite félicité qui règne ici. Rien de mauvais ne se produit jamais.

— C'est vrai, dit le prêtre. Vous savez, je me souviens des lépreux que nous avions autrefois, qui vivaient au-dehors des murs. Ils sont tous partis maintenant. Et puis il y avait toujours quelques jeunes gens vraiment détestables, des jeunes gens qui causaient des ennuis, vous savez, de vrais dévoyés. Il y en avait dans toutes les villes. Mais maintenant ? Vous ne trouverez pas un vaurien dans tout Santa Maddalena, ni dans aucun village des alentours. C'est comme si les gens étaient revenus à Dieu de tout leur cœur.

— Oui, renchérit le vieil homme, secouant sa tête de lutin, et Dieu a été miséricordieux de bien d'autres façons. »

Je sentis à nouveau un frisson me parcourir l'échine, comme avec Ursula, mais ce n'était pas du plaisir.

« De quelle manière, par exemple ? demandai-je.

— Eh bien, regardez autour de vous, dit le vieil homme. Avez-vous vu des impotents dans nos rues ? Avez-vous vu des idiots ? Quand j'étais enfant, quand toi-même, mon fils, tu étais enfant, dit-il en s'adressant au prêtre, il y avait toujours quelques âmes infortunées, nées malformées, ou sans un esprit solide, vous voyez, et il fallait s'occuper d'eux. Je me souviens d'une époque où il y avait toujours des mendiants aux portes. Il n'y en a plus, nous n'en avons plus vu depuis des années.

— Stupéfiant, dis-je.

— Oui, en effet, dit le prêtre pensivement. Tout le monde ici est en bonne santé. C'est pourquoi les sœurs sont parties depuis si longtemps. Vous avez vu le vieil hôpital désaffecté ? Et le couvent hors les murs, depuis longtemps abandonné ? Je pense qu'il y a des moutons maintenant. Les paysans utilisent ses anciennes cellules.

— Personne n'est jamais malade ? demandai-je.

— Si, cela arrive, dit le prêtre en prenant une petite gorgée de vin, comme s'il était un homme mesuré à cet égard, mais ils ne souffrent pas, vous comprenez. Ce n'est pas comme dans l'ancien temps. On dirait que, si quelqu'un est prêt à partir, alors il part vite.

— Oui, c'est vrai, Dieu en soit remercié, dit l'ancien.

— Et les femmes, dit le prêtre, elles sont heureuses ici de donner la vie. Elles ne sont pas accablées de tant d'enfants. Oh, nous en avons beaucoup que Dieu rappelle à lui dans les toutes premières semaines — vous savez bien, c'est la malédiction des mères —, mais en règle générale nos familles sont heureusement petites. » Il se tourna vers son père. « Ma pauvre mère, dit-il, a eu vingt bébés au total. Eh bien, cela n'arrive plus jamais, n'est-ce pas ? »

Le petit homme bomba le torse et sourit fièrement. « Oui, vingt enfants j'ai élevé ; eh bien, beaucoup sont partis, et je ne sais même pas ce qu'ils sont devenus... mais peu importe. Non, les familles sont réduites ici, à présent. »

Le prêtre avait l'air légèrement troublé. « Mes frères, peut-être un jour le Seigneur m'accordera-t-il de savoir ce qu'ils sont devenus.

— Oh, oublie-les, dit le vieil homme.

— Étaient-ils un peu fougueux, si je puis me permettre ? demandai-je à voix basse, en les examinant tous les deux l'air de rien.

— Mauvais, murmura le prêtre, en secouant la tête. Mais c'est notre bénédiction, vous voyez, les gens mauvais nous quittent.

— Vraiment ? » demandai-je.

Le vieil homme gratta son crâne rose. Ses cheveux blancs étaient fins et longs, dressés en tous sens, comme les poils de ses sourcils.

« Tu sais, j'essayais de me souvenir, dit-il en s'adressant à son fils, qu'est-il arrivé à ces pauvres impotents, tu te rappelles, ceux qui sont nés avec ces jambes toutes tordues, ils étaient frères...

— Oh, Tommaso et Felice, dit le prêtre.

— Oui.

— Ils ont été emmenés à Bologne pour y être soignés. Pareil pour le fils de Bettina, celui qui est né sans mains, souviens-toi, le pauvre petit.

— Oui, oui, bien sûr, nous avons plusieurs médecins.

— Vraiment ? fis-je. Je me demande à quoi ils s'occupent, murmurai-je. Qu'en est-il du conseil municipal, du gonfalonier ? » demandai-je. *Gonfalonier* était le nom que l'on donnait au premier magistrat de Florence, l'homme qui dirigeait, officiellement du moins, la ville.

« Nous avons un *borsellino*, dit le prêtre, et nous y puisons six ou huit nouveaux noms de temps à autre, mais il ne se passe jamais grand-chose ici. Il n'y a pas de disputes. Les marchands s'occupent des impôts. Tout se passe sans heurts. »

Le vieil elfe éclata de rire. « Oh, mais nous n'avons pas d'impôts ! » s'exclama-t-il.

Son fils, le prêtre, dévisagea le vieil homme comme si ce n'était pas une chose à dire, mais lui-même avait l'air simplement étonné. « Enfin, non, papa, dit-il, c'est seulement que les impôts sont... faibles. » Il semblait embarrassé.

« Alors, vous êtes vraiment bénis », dis-je aimablement, essayant de feindre l'indifférence devant ce tableau totalement improbable.

« Et ce terrible Oviso, tu te souviens de lui ? demanda soudain le prêtre à son père, avant de se tourner vers moi. Voilà un homme qui était vraiment malade. Il a presque tué son fils. Il avait perdu la tête, il mugissait comme un taureau. Un médecin itinérant qui passait par là nous a dit qu'on pourrait le guérir à Padoue. Ou était-ce Assise ?

— Je suis heureux qu'il ne soit jamais revenu, dit le vieil homme. Il rendait la ville folle. »

Je les examinai tous deux. Étaient-ils sérieux ? Me jouaient-ils une comédie ? Je ne décelais aucune ruse chez l'un ou l'autre, mais le prêtre semblait gagné par la mélancolie.

« Dieu accomplit son œuvre par les voies les plus étranges, dit-il. Oh, je sais que ce n'est pas le proverbe exact.

— Ne tente pas le Tout-Puissant ! » dit son père en vidant le fond de sa coupe.

Je les resservis promptement tous les deux.

« Le petit sourd-muet », dit une voix.

Je levai les yeux. C'était l'aubergiste, les poings sur les hanches, le tablier tendu sur sa bedaine, un plateau à la main. « Les sœurs l'ont emmené avec elles, n'est-ce pas ?

— Revenues le chercher, je crois », dit le prêtre. Il était à présent nettement préoccupé. Troublé, aurais-je dit.

L'aubergiste prit mon assiette vide.

« Le pire, c'était la peste, murmura-t-il à mon oreille. Oh, mais c'est fini maintenant, croyez-moi, sinon je ne prononcerais pas ce mot. Il n'y a pas d'autre mot pour vider une ville aussi rapidement.

— Non, toutes ces familles, parties, comme ça, dit le vieil homme, grâce à nos médecins et aux moines visiteurs. Toutes emmenées dans les hôpitaux de Florence.

— Des victimes de la peste ? Emmenées à Florence ? demandai-je, sans cacher mon incrédulité. Je me demande bien qui gardait les portes de la ville, et par laquelle de ses portes ils ont été admis. »

Le franciscain me dévisagea fixement pendant un instant, comme si quelque chose l'avait violemment et profondément perturbé.

L'aubergiste serra l'épaule du prêtre. « Ce sont des temps heureux, dit-il. Je regrette les processions jusqu'au monastère — il est fermé lui aussi, bien sûr —, mais nous n'avons jamais eu une meilleure vie. »

Je fis ostensiblement glisser mon regard de l'aubergiste au prêtre, et je découvris que celui-ci me dévisageait sans se dissimuler. Ses lèvres semblaient trembler. Il était mal rasé, avait des bajoues, et son visage sillonné de rides profondes me parut soudain triste.

Le vieil homme abonda dans le même sens, disant qu'une famille entière avait été atteinte de la peste dans la campagne il n'y avait pas si longtemps, mais qu'ils avaient été emmenés à Lucques.

« Ce fut la générosité de... qui était-ce, mon fils, je ne...

— Oh, quelle importance ? fit l'aubergiste. Signore, me dit-il, un peu plus de vin ?

— Pour mes invités, fis-je avec un geste circulaire de la main. Je dois y aller. La bougeotte, dis-je. Il faut que je voie quels livres sont à vendre.

— C'est un bon endroit pour se fixer, dit le prêtre avec une soudaine conviction, d'une voix douce, tandis qu'il continuait de me dévisager, sourcils froncés. Un bon endroit, en vérité, et nous aurions profit à accueillir un érudit. Mais...

— Eh bien, je suis plutôt jeune », dis-je. Je me préparai à me lever, passant une jambe par-dessus le banc. « N'y a-t-il pas d'autres jeunes gens de mon âge ici ?

— Eh bien, ils partent, voyez-vous, dit l'elfe. Il y en a quelques-uns, mais ils sont tous occupés dans les commerces de leurs pères. Non, les mauvais garnements ne traînent pas par ici. Non, jeune homme, certes pas ! »

Le prêtre m'étudiait comme s'il n'entendait pas la voix de son père.

« Oui, et vous êtes un jeune homme fort instruit », dit le prêtre, mais il était manifestement troublé. « Je le vois bien, et je l'entends dans votre voix ; tout chez vous respire la pondération et l'intelligence... » Il s'interrompit. « Eh bien, j'imagine que vous ne tarderez pas à repartir, n'est-ce pas ?

— Vous croyez que je devrais ? demandai-je. Ou rester, quel choix faire ? » Je me fis suave, pas du tout rude.

Il m'adressa un demi-sourire. « Je ne sais pas », dit-il. Puis il eut de nouveau l'air austère et presque tragique. « Le Seigneur soit avec vous », murmura-t-il.

Je me penchai vers lui. L'aubergiste, voyant ces manières confidentielles, se détourna et alla s'affairer ailleurs. Le vieil elfe conversait avec sa coupe.

« Qu'en est-il, mon père ? demandai-je dans un murmure. La ville est trop prospère, c'est cela ?

— Partez, mon fils, dit-il presque mélancoliquement. J'aimerais pouvoir, moi aussi. Mais je suis lié par mon vœu d'obéissance et par le fait que c'est ma ville natale, et mon père est ici, tandis que tous les autres ont disparu de par le vaste monde. » Il devint soudain dur. « Du moins, le semble-t-il », dit-il. Puis : « À votre place, je ne resterais pas ici. »

Je hochai la tête.

« Vous êtes étrange, mon fils », me dit-il dans le même murmure. Nos têtes se touchaient. « Vous tranchez trop. Vous êtes mignon et enchâssé de velours, et puis il y a votre âge ; vous n'êtes plus vraiment un enfant, vous savez.

— Oui, je vois, pas beaucoup de jeunes gens dans la ville, pas du genre à remettre en cause quoi que ce soit. Seulement les vieux et les complaisants, ceux qui acceptent et ceux qui ne voient pas la tapisserie à cause d'un petit singe brodé dans un coin. »

Il ne répondit pas à ce débordement de rhétorique, et je fus désolé d'y avoir cédé. Ma colère et ma douleur avaient sans doute transparu dans cet écart. Dégoûtant ! J'étais furieux contre moi-même.

Il se mordit la lèvre, inquiet pour moi, ou pour lui, ou pour nous deux.

« Pourquoi êtes-vous venu ici ? demanda-t-il avec un ton de sincérité, presque protecteur. Par où êtes-vous arrivé ? On dit que vous êtes arrivé de nuit. Ne partez pas de nuit. » Sa voix était devenue un tel murmure que je l'entendais à peine.

« Ne vous faites pas de souci pour moi, mon père, dis-je. Priez pour moi. C'est tout. »

Je décelai en lui une sorte de peur aussi réelle que celle que j'avais vue chez le jeune prêtre, mais elle était encore plus innocente, malgré son âge, toutes ses rides, et ses lèvres humectées de vin. Il paraissait fatigué de ce qu'il ne pouvait comprendre.

Je me levai et allai partir quand il se saisit de ma main. Je penchai l'oreille vers ses lèvres.

« Mon enfant, dit-il, il y a quelque chose... quelque chose...

— Je sais, mon père, dis-je en caressant sa main.

— Non, vous ne savez pas. Écoutez. Quand vous partirez, prenez la grand-route vers le sud, même si ce n'est pas votre direction. N'allez pas au nord ; ne prenez pas la route étroite du nord.

— Pourquoi donc ? » demandai-je.

Dubitatif, silencieux, complètement ravagé, il lâcha ma main.

« Pourquoi donc ? » répétai-je à son oreille.

Il avait cessé de me faire face. « Les bandits de grand chemin, dit-il. Ils contrôlent la route ; ils vous feront payer un tribut pour passer. Partez par le sud. » Il se détourna vivement et commença à parler à son père d'une voix douce et grondeuse, comme si j'étais déjà parti.

Je m'en allai.

J'étais abasourdi quand je débouchai dans la rue déserte. « Des bandits de grand chemin ? »

De nombreuses boutiques étaient fermées à présent, comme le voulait manifestement l'habitude après le copieux déjeuner, mais d'autres ne l'étaient pas.

Mon épée pesait une tonne à ma hanche, le vin m'avait rendu fiévreux, et toutes ces révélations me donnaient le vertige.

Ainsi, pensai-je, le visage brûlant, nous avons là une ville sans jeunes gens, sans impotents, sans idiots, sans malades et sans enfants non désirés ! Et sur la route du nord, nous avons de dangereux bandits.

Je descendis vers l'enceinte, marchant de plus en plus vite, et je passai les portes grandes ouvertes pour entrer dans la campagne. La brise était à la fois magnifique et bienvenue.

Tout autour de moi s'étendaient des champs fertiles et bien soignés, des vignes, des vergers et des fermes, horizons luxuriants et prospères que je n'avais pu voir à mon arrivée de nuit. Quant à la route du nord, je n'en voyais rien du fait de la grande taille de la ville dont les fortifications les plus élevées étaient tournées dans cette direction. Je voyais en contrebas, sur une corniche, ce qui devait être les ruines du couvent des sœurs et, tout en bas de la montagne, loin à l'ouest, ce qui avait dû être le monastère des frères.

Au bout d'une heure, j'atteignis un groupe de fermes, où je bus un bol d'eau fraîche en compagnie des deux fermiers.

Ce fut exactement la même histoire : un vrai paradis, délivré des mécréants et de l'horreur des exécutions, l'endroit le plus paisible de la terre, et rien que des enfants bien formés partout.

Cela faisait des années que les bandits avaient cessé de rôder dans les bois. Bon, on ne savait jamais qui risquait de passer par là, mais la ville était puissante et maintenait la paix.

« Oh, même sur la route du nord ? » demandai-je.

Aucun des deux fermiers ne savait rien de la route du nord.

Quand je demandai ce qu'il advenait des malades, des impotents, des blessés, on me resservit la même histoire. Un médecin de passage, ou un prêtre, ou une communauté de frères ou de sœurs les avaient emmenés dans une autre ville ou une université. Les fermiers ne se souvenaient sincèrement pas.

Je fus de retour en ville bien avant le crépuscule.

J'allai fureter, entrant dans chaque boutique, de manière quasi systématique, observant chacun d'aussi près que je le pouvais sans attirer une attention malvenue.

Bien sûr, je ne pouvais espérer couvrir ne fût-ce qu'une seule rue, mais j'étais déterminé à dénicher ce que je pourrais.

Chez les marchands de livres, je parcouru les vieux *Ars Grammatica* et *Ars Minor*, ainsi que les grandes et belles bibles qui y étaient à vendre et que je ne pus voir qu'en demandant qu'on me les sortît de leur vitrine.

« Comment dois-je faire pour repartir vers le nord depuis ici ? demandai-je à l'homme las qui s'accouda et m'examina d'un œil endormi.

— Vers le nord ? Personne ne va au nord », répondit-il, et il me bâilla en plein visage. Il portait de beaux habits, sans trace d'une reprise, et de bonnes chaussures neuves de cuir ouvragé. « Écoutez, j'ai des livres bien plus précieux que ceux-là », dit-il.

Je feignis l'intérêt, puis j'expliquai poliment que tous correspondaient plus ou moins à ceux dont je disposais déjà et que je n'en avais donc pas le besoin, mais merci quand même.

J'entrai dans une taverne où des hommes faisaient rouler les dés avec de grands éclats de voix, vigoureusement, comme s'ils n'avaient pas d'occupation plus pressante. Puis je parcourus le quartier des boulangers où l'odeur du pain était envoûtante, même pour moi.

Jamais de ma vie je ne m'étais senti si complètement seul tandis que j'errais au milieu de ces gens, écoutant leurs propos aimables et entendant sans cesse la même histoire de sécurité et de bénédiction.

Penser à la tombée de la nuit me glaçait les sangs. Et quel était ce mystère qui entourait la route du nord ? Personne, personne d'autre que le prêtre ne haussait même un sourcil à la mention de ce point cardinal.

Une heure environ avant le coucher du soleil, j'étais dans une boutique dont la propriétaire, une marchande de soieries et dentelles de Venise et Florence, ne se montra pas aussi patiente avec ma présence oisive que les autres l'avaient été, en dépit du fait que j'avais manifestement de l'argent.

« Pourquoi posez-vous tant de questions ? » me demanda-t-elle. Elle semblait fatiguée et usée. « Vous pensez que c'est facile de prendre soin d'un enfant malade ? Venez voir. »

Je la dévisageai comme si elle avait perdu la tête. Mais alors la vérité m'apparut subitement, claire et froide. Je sus exactement ce qu'elle voulait dire. Je passai la tête derrière un rideau et vis un enfant malade et fiévreux, qui somnolait dans un lit étroit et fort sale.

« Vous pensez que c'est facile ? Année après année, elle ne guérit pas, dit la femme.

— Je suis désolé, dis-je. Mais que faut-il faire ? » La femme cassa son fil et posa son aiguille. Elle semblait être à bout de nerfs. « Que faut-il faire ? Vous prétendez me dire que vous ne savez pas ! murmura-t-elle. Vous, un homme intelligent comme vous ! » Elle se mordit la lèvre. « Mais mon mari dit : "Non, pas encore", alors nous continuons. »

Elle reprit son travail en marmonnant et je m'en allai, horrifié et luttant pour garder un visage avenant. Je visitai quelques boutiques de plus. Rien de particulier ne se produisit. Puis, dans la troisième, je trouvai un vieil homme complètement sénile et ses deux filles qui essayaient de l'empêcher de mettre ses vêtements en pièces.

« Holà, laissez-moi vous aider », dis-je aussitôt.

Nous le fîmes asseoir dans son fauteuil, lui renfilâmes sa chemise, et il finit par cesser de produire des bruits incohérents. Il était tout fripé et baveux.

« Oh, Dieu merci, cela ne durera plus longtemps, dit l'une des filles en s'essuyant le front. Heureusement !

— Pourquoi cela ne durera-t-il plus longtemps ? » demandai-je.

Elle leva les yeux vers moi, les détourna, puis revint à moi. « Oh, vous êtes un étranger ici, signore, excusez-moi, vous êtes si jeune. Je n'ai vu qu'un garçon en vous regardant. Je veux dire que Dieu aura pitié de lui. Il est très âgé.

— Hum, je vois », fis-je.

Elle me considéra avec des yeux rusés et froids, comme faits de métal.

Je m'inclinai et sortis. Le vieil homme avait recommencé à arracher sa chemise, et l'autre fille, qui n'avait pas ouvert la bouche, lui donna une claque.

Je tressaillis et repris ma marche. Je voulais en voir autant que je pourrais dans l'immédiat.

Passant par de plutôt paisibles échoppes de tailleurs, je parvins enfin dans le quartier des marchands de porcelaine où deux hommes se querellaient au sujet d'un plateau d'accouchement ornementé.

Les plateaux d'accouchement, autrefois utilisés de manière pratique pour recevoir l'enfant à la sortie de l'utérus, étaient devenus de mon temps des cadeaux somptuaires offerts après la naissance de l'enfant. Il s'agissait de grands plats ornés de charmantes scènes familiales, et cette boutique en présentait un impressionnant étalage.

J'entendis la querelle avant d'être vu.

Un homme enjoignait d'acheter le maudit plateau, tandis

que l'autre disait que le bébé ne vivrait même pas et que le cadeau était prématuré, un troisième affirmant que la femme serait de toute manière heureuse de recevoir le plateau d'accouchement richement décoré.

Ils s'interrompirent au moment où j'entrai dans la boutique proprement dite pour examiner toutes les marchandises importées, mais quand je leur tournai le dos, l'un des hommes dit à mi-voix : « Si elle a un brin de cervelle, elle le fera. »

Je fus frappé par ces mots, si frappé que je me retournai aussitôt pour attraper un superbe plat sur l'étagère et faire mine d'être fort impressionné par celui-ci. « Quelle merveille ! » dis-je, comme si je ne les avais pas entendus.

Le marchand se leva et commença à chanter les louanges des pièces exposées. Les autres se fondirent dans la nuit tombante à l'extérieur. Je dévisageai l'homme.

« L'enfant est-il malade ? demandai-je de la voix la plus fluette que je pus trouver.

— Oh, non, eh bien, je ne crois pas, mais vous savez comment c'est, dit l'homme. Il n'est pas bien gros.

— Faible », proposai-je.

De manière très maladroite, il dit : « Oui, faible. » Son sourire était artificiel, mais il se croyait très malin.

Puis nous revînmes tous deux à ses marchandises. J'achetai une minuscule tasse en porcelaine, très joliment peinte, qu'il affirmait tenir d'un Vénitien.

Je savais pertinemment que j'aurais dû partir sans un mot, mais je ne pus me retenir de lui demander au moment de payer : « Pensez-vous que ce pauvre enfant faible et pas bien gros vivra ? »

Il éclata d'un rire plutôt grossier en prenant mon argent. « Non », dit-il, puis il me jeta un coup d'œil, comme s'il avait été perdu dans ses pensées. « Ne vous en faites pas, signore, dit-il avec un petit sourire. Vous êtes venu vous installer parmi nous ?

— Non, monsieur, je ne suis que de passage, je pars vers le nord, dis-je.

— Vers le nord ? » demanda-t-il, un peu surpris, mais

sarcastique. Il ferma sa caisse et tourna la clef. Puis, secouant la tête tandis qu'il plaçait la caisse dans l'armoire et refermait les portes, il dit : « Vers le nord, hein ? Eh bien, bonne chance à vous, mon garçon. » Il eut un gloussement amer. « C'est une vieille route. Vous feriez mieux de galoper aussi vite que vous pourrez et de partir dès l'aube.

— Merci, monsieur », dis-je.

La nuit approchait.

Je me jetai dans une ruelle et m'y plaquai contre un mur, retenant mon souffle, comme si j'avais été traqué. Je laissai tomber la petite tasse qui se brisa à grand fracas, le bruit résonnant entre les hauts murs.

J'avais à moitié perdu la tête.

Mais aussitôt, pleinement conscient de ma situation, et convaincu des horreurs que j'avais découvertes, je pris une décision inflexible.

Je n'étais pas en sécurité à l'auberge, alors quelle importance ? J'allais faire les choses à ma façon et voir par moi-même.

Ce que je fis.

Sans retourner à l'auberge, sans même jamais quitter officiellement la chambre que j'y avais prise, je me dirigeai vers le sommet de la ville dès que les ombres furent assez épaisses pour me couvrir, et j'escaladai la rue de plus en plus étroite qui menait au vieux château en ruine.

Toute la journée j'avais pu contempler cette imposante collection de pierres et de décrépitude, et voir qu'elle était réellement totalement délabrée et sans autre habitant que les oiseaux, sauf, comme je l'ai dit, dans les étages inférieurs, qui étaient censés abriter des bureaux.

Mais il restait deux tours au château, celle qui faisait face à la ville, et une autre, très abîmée, sur l'arrière, perchée au bord d'une falaise, ainsi que j'avais pu m'en apercevoir depuis les champs.

Je me dirigeai vers la tour qui dominait la ville.

Les bureaux du gouvernement étaient bien sûr déjà fermés, et les soldats du couvre-feu seraient bientôt partis, le seul bruit provenant de quelques tavernes qui restaient manifement ouvertes quoi qu'en dît la loi.

La piazza du château était vide, et comme les trois rues de la ville faisaient plus d'un coude dans leur tracé, je ne voyais presque rien d'autre que quelques faibles torches.

Le ciel était cependant merveilleusement clair, dégagé de tout sauf des nuages les plus arrondis et discrètement formés qui se détachaient très nettement contre le bleu plus profond de la nuit, et les étoiles paraissaient incroyablement nombreuses.

Je trouvai de vieux escaliers en colimaçon, trop étroits presque pour le passage d'un être humain, qui s'enroulaient autour de la partie utile de la vieille citadelle et conduisaient à la première plate-forme de pierre, devant une entrée de la tour.

Bien sûr, cette architecture n'avait rien d'inhabituel pour moi. Les pierres étaient d'une texture plus grossière que celle de ma vieille demeure, et d'une teinte légèrement plus sombre, mais la tour était large et carrée, d'une solidité à l'épreuve du temps.

Je savais que l'endroit était suffisamment ancien pour que j'y trouve un escalier de pierre menant assez haut, ce que je fis, et je parvins bientôt, au terme de mon ascension, dans une haute pièce d'où je vis toute la ville à mes pieds.

Il y avait encore des appartements au-dessus, mais ceux-ci avaient été autrefois accessibles par des échelles en bois que l'on pouvait retirer afin de frustrer un éventuel ennemi, et je ne pouvais m'y rendre. J'entendais les oiseaux là-haut, que dérangeait ma présence. Et j'entendais aussi les légers miaulements du vent.

Cependant, j'étais arrivé suffisamment haut.

Depuis les quatre étroites fenêtres de la pièce, j'avais une vue circulaire dans toutes les directions.

Et plus particulièrement, le plus important pour moi, j'apercevais la ville, étendue en contrebas, de la forme d'un grand œil — un ovale aux bouts effilés — avec des torches brûlant çà et là, et parfois une fenêtre faiblement illuminée, et je vis une lanterne avancer lentement, comme si quelqu'un parcourait une des artères à pas comptés.

Je n'avais pas sitôt remarqué cette lanterne qu'elle s'éteignit. Il semblait que les rues fussent entièrement désertes.

Puis les fenêtres elles aussi s'obscurcirent, et bientôt ne brûlèrent plus que trois ou quatre torches.

L'obscurité eut un effet apaisant sur moi. La campagne sombra sous un profond voile bleu sombre tombant d'un ciel nacré, et je vis les forêts empiéter sur les labours, projetant une ombre de plus en plus envahissante, à mesure que les collines se fondaient l'une dans l'autre ou sombraient abruptement dans des vallées de pure noirceur.

J'entendais le vide complet de la tour.

Rien ne bougeait plus à présent, pas même les oiseaux. J'étais parfaitement seul. J'aurais pu déceler le pas le plus léger dans l'escalier. Personne ne savait que j'étais ici. Tous dormaient.

J'étais en sécurité. Et je pouvais veiller.

J'étais trop rempli de douleur pour être effrayé, et, franchement, j'étais préparé à résister à Ursula en ce lieu ; je le préférais, à vrai dire, aux pièces étroites de l'auberge, et je finis par ne plus rien craindre lorsque je dis mes prières et posai la main sur mon épée comme d'habitude.

Que m'attendais-je à voir dans cette ville endormie ? *N'importe quoi.*

Bien, et que pensais-je que ce serait ? Je n'aurais su le dire à quiconque. Mais tandis que je faisais le tour de la pièce, tandis que je jetais coup d'œil après coup d'œil sur les quelques lumières éparses en contrebas et sur la masse du rempart qui descendait sous le rutilant ciel d'été, l'endroit me semblait méprisable, envahi de tromperie, de sorcellerie, plein d'un tribut payé au Diable.

« Vous croyez que je ne sais pas où partent les enfants dont vous ne voulez pas ? marmonnai-je, empli de rage. Vous croyez que vos pestiférés sont accueillis à bras ouverts par les cités voisines ? »

Je fus surpris par l'écho de mes propres murmures sur les murs froids.

« Mais qu'en fais-tu, Ursula ? Qu'aurais-tu fait de mon frère et de ma sœur ? »

Mes ruminations étaient peut-être de la folie, ou auraient pu paraître telles à certains. Mais j'ai appris ceci. La vengeance ne détache pas l'esprit de la douleur. La vengeance est un leurre, un leurre chatoyant, même si elle est désespérée.

Un coup de cette épée, et je pourrais lui trancher la tête, pensai-je, et la lancer par cette fenêtre : que resterait-il d'elle alors, sinon un démon dépouillé de son pouvoir ?

De temps à autre, je tirais à demi mon épée, puis la rengainais. Je sortis ma plus longue dague et en frappai la paume de ma main gauche. Pas un instant je ne cessai de marcher de long en large.

Soudain, alors que j'accomplissais une de mes pénibles déambulations, j'aperçus au loin, sur une montagne, dans quelle direction je ne le savais pas réellement — mais ce n'était pas celle d'où j'étais venu —, une abondance de lumière dansant derrière un voile d'obscurité sylvestre.

Au départ, je pensai que ce pouvait être un feu, tant l'éclat était vif, mais, plissant les yeux et concentrant mon esprit, je vis que ce n'était pas du tout le cas.

Il n'y avait pas de reflets sauvages sur les quelques nuages visibles au-dessus, et l'illumination, malgré toute son ampleur, était contenue, et l'on aurait dit qu'elle émanait d'un vaste rassemblement de porteurs de bougies. Comme cette orgie de lumière féroce était à la fois stable et frémissante !

Je sentis un frisson me traverser tandis que je la contemplais. C'était une habitation ! Je me penchai par-dessus le bord de la fenêtre. Je distinguais son contour complexe et tentaculaire ! Elle se détachait de toute la terre environnante, cette forteresse à l'illumination exubérante, parfaitement isolée et manifestement visible depuis tout un côté de cette ville, ce monument enchâssé dans la forêt où quelque célébration semblait exiger que chaque torche, chaque chandelle fût allumée, que chaque fenêtre, créneau ou meurtrière, reçût sa lanterne.

Au nord, oui, au nord, car la ville s'étendait droit devant moi, et ce château était donc situé au nord. C'était la direction contre laquelle j'avais été mis en garde ; et qui dans cette ville pouvait ignorer ce lieu ? Cependant il n'en avait pas été une seule et unique fois fait mention, si ce n'était le murmure du franciscain terrifié à la table de l'auberge.

Mais que regardais-je ? Que distinguais-je ? Des forêts épaisses, oui ; ce château était très haut, mais entouré de forêts denses qui le masquaient, à travers lesquelles ses lumières palpitaient comme une sourde menace ; mais qu'était-ce qui venait de lui, qu'était ce mouvement sauvage, à demi visible dans l'obscurité, au-dessus des pentes qui retombaient de ce mystérieux promontoire ?

Y avait-il des choses qui se déplaçaient dans la nuit ? Qui venait de ce très lointain château jusque vers cette ville ? Des choses noires amorphes, comme de grands oiseaux doux et informes qui auraient suivi l'alignement de la terre tout en étant délivrés de sa gravité. Venaient-ils vers moi ? Avais-je été ensorcelé ?

Non, je vis réellement cela. Réellement ?

Il y en avait par douzaines !

Ils approchaient de plus en plus.

C'étaient des formes minuscules, pas grandes du tout, l'impression de grandeur étant une illusion causée par le fait qu'elles voyageaient en essaim, ces choses, et maintenant elles approchaient de la ville, les essaims se séparaient, et je les vis jaillir de part et d'autre de ma tour par-dessus les murailles que je dominais, comme autant de mites géantes.

Je fis demi-tour et courus à la fenêtre. Elles plongeaient en masse sur la ville ! Elles piquaient et disparaissaient dans l'obscurité. En contrebas, sur la piazza, apparurent deux silhouettes noires, des hommes vêtus de capes flottantes qui couraient, ou bondissaient plutôt, au débouché des rues avec un rire sonore et audacieux.

J'entendis des pleurs dans la nuit, j'entendis des sanglots. J'entendis un faible vagissement, et un grognement étouffé.

Aucune lumière ne s'alluma dans la ville.

Puis ces méchantes choses ressurgirent de la nuit, au sommet des murailles, courant vers le bord, et sautèrent dans le vide.

« Seigneur, je les vois ! Soyez maudits », murmurai-je.

Il y eut soudain un grand bruit à mes oreilles, un grand bruissement d'étoffes soyeuses tout contre moi, et la silhouette d'un homme se dressa devant mes yeux.

« Tu nous vois, mon garçon ? » C'était la voix d'un homme jeune, vigoureuse, pleine de gaieté. « Mon très curieux petit garçon ! »

Il était trop près pour mon épée. Je ne voyais rien d'autre que des habits dressés.

Du coude et de l'épaule, y mettant toutes mes forces, je me ruai contre son aine.

Son rire emplit la tour.

« Aha, mais cela ne me fait pas mal, mon enfant, et puisque tu es si curieux, fort bien, nous t'emmènerons toi aussi voir ce que tu aimerais tant découvrir. »

Il m'enserra dans une abondance suffocante de tissu. Et soudain je me sentis soulevé du sol, jeté dans un sac, et je sus que nous avions quitté la tour !

J'étais la tête en bas, pris de nausée. Il semblait voler tandis qu'il me portait sur son dos, et son rire était à peine dissipé par le vent. Je ne pouvais libérer mes bras. Je sentais mon épée, mais ne pouvais en atteindre la poignée.

Désespérément, je cherchai ma dague, non pas celle que j'avais dû laisser tomber quand il m'avait saisi, mais celle qui était glissée dans ma botte, puis, l'ayant en main, je me retournai en gigotant vers le dur dos sur lequel je voyageai, bondissant et grognant, et plongeai à plusieurs reprises la dague à travers le tissu.

Il poussa un cri déchirant. Je le frappai à nouveau.

Tout mon corps, à l'intérieur du sac, fut projeté en l'air, loin de lui.

« Petit monstre, lança-t-il. Misérable insolent ! »

Nous descendîmes rapidement, et je me sentis heurter le sol, herbu et rocheux, où je roulai sur moi-même, déchirant la paroi du sac aveuglant de la pointe de mon couteau.

« Petit salopiaud ! gronda-t-il.

— Saignes-tu, maudit diable ? lançai-je. Saignes-tu ? » Je déchirai le sac, perdu dans son antre, roulant sur moi-même à n'en plus finir, puis je sentis l'herbe humide contre la paume de mes mains.

Je vis les étoiles.

Puis le sac fut arraché de mes membres agités.

Je reposai à ses pieds, mais un instant seulement.

6

LA COUR DU GRAAL RUBIS

Rien n'aurait pu m'arracher la dague de la main. Je l'enfonçai profondément dans sa jambe, suscitant une nouvelle série de hurlements de sa part. Il me ramassa, m'expédiant même très haut dans le ciel, et je retombai, assommé, sur le sol détrempé par la rosée.

Ce vol plané me procura ma première vision, confuse mais impérieuse, de lui. Un grand flot de lumière rouge l'illuminait, silhouette encapuchonnée et drapée dans une cape, vêtue en chevalier d'une longue tunique à l'ancienne aux manches de mailles brillantes. Il tordit le torse, ses cheveux blonds s'emmêlant devant son visage, souffrant manifestement des blessures que je lui avais infligées au dos, et martela le sol de sa jambe blessée.

Je fis deux tours en roulant sur moi-même, serrant bien fort ma dague, tandis que je libérais suffisamment mon épée pour pouvoir la tirer du fourreau. J'étais debout avant même qu'il eût fait un geste, et j'assenai un coup d'épée à une main, maladroitement, mais de toutes mes forces, que j'entendis déchirer son flanc avec un atroce bruit gluant. Le bouillonnement de sang dans la lumière vive était horrible et monstrueux.

Vint alors son cri le plus déchirant. Il tomba à genoux.

« Aidez-moi, bande d'imbéciles ; c'est un vrai démon ! » hurla-t-il. Son capuchon tomba en arrière.

Je parcourus du regard les immenses fortifications qui s'élevaient à ma droite, les hautes tours crénelées avec leurs drapeaux qui flottaient au vent dans la lueur incertaine d'innombrables lumières, correspondant à ce que j'avais aperçu au loin depuis la ville. C'était un fantastique château aux toits pointus, aux fenêtres ogivales dont les brisures étaient prononcées, et aux hauts remparts peuplés de sombres silhouettes qui s'agitaient en observant notre combat.

S'abattit alors sur l'herbe humide la silhouette d'Ursula, moulée dans une robe rouge, sans cape, les cheveux noués en longues tresses ornées de rubans rouges, qui se précipita vers moi.

« Ne lui fais pas de mal, je te l'ordonne, cria-t-elle. Ne le touche pas. »

Un groupe de personnages masculins, tous attifés des mêmes tuniques de chevalier à l'ancienne descendant jusqu'aux genoux, avec de sombres casques d'acier pointu, la suivaient. Ils portaient tous la barbe et avaient le teint blême.

Mon adversaire bascula en avant, le nez dans l'herbe, pissant le sang telle une hideuse fontaine.

« Regardez ce qu'il m'a fait, regardez ! » cria-t-il.

Je fichai ma dague dans ma ceinture, saisis mon épée à deux mains et la plongeai dans son cou, laissant échapper un rugissement d'entre mes dents, et je vis sa tête rouler et rebondir jusqu'au bas de la pente. « Ah, maintenant tu es mort, tu es fichtrement mort. Va donc chercher ta tête ! Essaie un peu de la remettre en place ! »

Ursula jeta ses bras autour de moi, plaquant ses seins contre mes omoplates. Ses mains emprisonnèrent les miennes une fois de plus et me forcèrent à planter la pointe de mon épée dans le sol.

« Ne le touche pas, hurla-t-elle à nouveau, d'une voix pleine de menace. N'approche pas, je te l'ordonne. »

L'un de ses compagnons avait récupéré la tête blonde broussailleuse de mon adversaire et la brandissait tandis que les autres regardaient le corps se tortiller, secoué de spasmes.

« Oh, non, il est trop tard ! dit l'un des hommes.

— Non, remets-la, remets-la sur son cou ! cria un autre.

— Lâche-moi, Ursula, dis-je. Laisse-moi mourir honorablement, fais-moi cette grâce ! » Je me débattis. « Laisse-moi la liberté de mourir comme je l'entends. Peux-tu m'accorder cela ?

— Non, dit-elle fiévreusement à mon oreille. Je ne le ferai pas. »

J'étais totalement impuissant contre sa force, si moelleux que fût le coussin de ses seins, si doux et frais ses doigts.

« Allez quérir Godric ! » cria l'un des hommes.

Les deux autres avaient ramassé le corps sans tête qui battait l'air de tous ses membres. « Amenez-le à Godric, dit celui qui portait la tête. Seul Godric peut en décider. »

Ursula laissa échapper une longue plainte. « Godric ! » C'était comme le hurlement du vent ou d'une bête, tant ce cri était perçant, immense, démultiplié par l'écho.

Tout en haut, se découpant dans l'embrasure du vaste portail gothique de la citadelle, le dos à la lumière, se tenait une mince silhouette chenue, aux membres tordus par l'âge.

« Amenez-les tous les deux, lança-t-il. Ursula, calme-toi, tu vas effrayer tout le monde. »

Je fis une rapide tentative pour me libérer. Elle resserra son étreinte. Vint alors la piqûre d'épingle de ses dents dans mon cou. « Oh, non, Ursula, laisse-moi voir ce qui doit arriver ! » murmurai-je. Mais je sentais des nuages ténébreux s'élever autour de moi, comme si l'air lui-même s'était épaissi et m'enveloppait de parfums, de sons et de force sensuelle.

Oh, t'aimer, te désirer, oui, je le faisais et je ne peux le nier. Je me sentais l'étreignant au milieu des hautes herbes humides de la prairie, et elle était sous moi, mais c'étaient des rêves et il n'y avait pas de fleurs sauvages pourpres. On m'emmenait quelque part, et elle m'avait seulement affaibli, avait entraîné mon cœur par la force du sien.

J'essayai de la maudire. Tout autour de nous s'étendaient les fleurs et les herbes, et elle dit : « Cours », mais c'était parfaitement impossible, parce que ça n'était pas fait de vérité mais de fantastique et de la succion de sa bouche sur mon cou et de ses membres enlacés autour de moi comme si elle avait été un serpent.

Un château français. On aurait dit que j'avais été transporté au nord.

J'avais ouvert les yeux.

Tout l'attirail d'une cour française.

Même la faible musique pondérée que je percevais me rappelait d'anciennes chansons françaises chantées au dîner dans une lointaine enfance.

Je me réveillai assis en tailleur sur un tapis, le buste cassé, et je repris connaissance en me frottant le cou et en tâtonnant désespérément autour de moi à la recherche des armes qui m'avaient toutes été enlevées. Je faillis perdre l'équilibre et basculer en arrière.

La musique était répétitive, lancinante et sourde, comme si elle s'était élevée de quelque lieu situé beaucoup plus bas, avec trop de tambours étouffés et la mince lamentation nasale des trompes. Elle n'avait aucune mélodie.

Je levai le regard. Française, oui, la haute et étroite baie ogivale qui conduisait à un long balcon extérieur, en dessous duquel quelque grande célébration battait son plein tapageur. Typiquement françaises, les tapisseries avec les dames aux hauts hennins pointus et leurs licornes blanches immaculées.

Des antiquités désuettes, semblables aux illustrations des livres de cour où les poètes lisaient à voix haute l'assommant *Roman de la rose* ou les fables tirées du *Roman de Renart*.

La fenêtre était drapée de satin bleu frappé de fleurs de lis. Il y avait de vieilles dentelles fatiguées au-dessus de la haute porte d'entrée et de ce que j'apercevais de l'encadrement de la fenêtre. Et les coffres étaient dorés et peints dans le style français, raide et un peu passé.

Je me retournai.

Les deux hommes se tenaient là, leurs longues tuniques tachées de sang et leurs manches de mailles poisseuses. Ils avaient ôté leurs casques pointus et me fixaient de leurs yeux pâles et glacés, silhouettes solennelles et barbues. La lumière miroitait franchement sur leur peau dure et blanche.

Ursula aussi se tenait là, le port altier, joyau encadré d'argent contre les ombres, me contemplant, sa robe haut cintrée tombant doucement, aussi démodée que leurs vêtements, comme si elle aussi venait d'un ancien royaume de France, ses seins d'albâtre dénudés presque jusqu'aux tétons sous un riche petit corsage de velours fleuri rouge et or.

Derrière un bureau, sur un tabouret en X, était assis l'Ancien, d'un âge parfaitement conforme à la silhouette que j'avais vue se découper contre la lumière du château, et il était aussi pâle qu'eux, du même teint blanc livide, à la fois splendide et cependant horrible et monstrueux.

Des lampes turques pendaient à des chaînes tout autour de la pièce ; des flammes scintillaient à l'abri de leurs entrailles, émettant une lumière pénible pour mes yeux éblouis, ainsi qu'un parfum semblable à celui de roses et de champs d'été, quelque chose d'étranger à la chaleur et aux corps brûlés.

L'Ancien avait une tête chauve, aussi laide qu'un bulbe d'iris déterré, retourné et dépouillé de toutes ses racines, où l'on aurait implanté deux yeux gris luisants et une large bouche mince et solennelle, froide et indifférente.

« Bien », me dit-il d'une voix douce, haussant un sourcil à peine visible en dehors du plissement aigu de sa chair parfaitement blanche. Il avait des hachures obliques et serrées en guise de joues. « Tu te rends compte que tu as tué l'un des nôtres, n'est-ce pas ?

— Je l'espère bien », dis-je. Je me mis debout et manquai perdre l'équilibre. Ursula tendit le bras, puis recula, comme si elle avait commis un manquement à l'étiquette.

Je me redressai, la fusillant très férocement du regard, puis faisant la même chose avec l'Ancien, qui leva les yeux vers moi avec un calme impavide.

« Veux-tu voir ce que tu as fait ? me demanda-t-il.

— Pourquoi devrais-je ? » répliquai-je. Mais je vis.

Sur une vaste table à tréteaux à ma gauche gisait, mort, le brigand blond qui m'avait emporté corps et âme dans son grand sac de toile. Ah, la dette était bel et bien remboursée !

Il était horriblement flétri, comme si ses membres s'étaient effondrés sur eux-mêmes, et sa tête blanche vidée de son sang, paupières ouvertes sur des orbites sombres de caillots, reposait contre son cou brutalement déchiré. Quel ravissement ! Je contemplai une des mains squelettiques du démon qui pendait par-dessus le bord de la table, blanche et semblable à une créature marine échouée sur la plage et ratatinée par le soleil impitoyable.

« Ah, excellent, dis-je. Cet homme qui a osé m'enlever et me conduire ici de force est bel et bien mort, merci de m'en donner le spectacle. » Je dévisageai l'Ancien. « L'honneur n'en requiert pas moins. Nous n'avons même pas à parler de bon sens, n'est-ce pas ? Qui d'autre avez-vous enlevé au village ? Le vieil homme qui déchirait sa chemise ? L'enfant né trop chétif ? Le faible, l'infirme, le malade, quoi qu'ils vous donnent ? Et que leur promettez-vous en échange ?

— Oh ! gardez votre calme, jeune homme, dit solennellement l'Ancien. Vous êtes courageux au-delà de l'honneur et du bon sens, cela ne fait aucun doute.

— Non point. Vos péchés contre moi exigent que je vous combatte jusqu'à mon dernier souffle, tous autant que vous êtes. » Je fis demi-tour et contemplai la porte ouverte. La musique trépidante me donnait des haut-le-cœur et menaçait de me faire chavirer sous tous les coups que j'avais reçus. « Tout ce bruit. Qu'êtes-vous, une cour sanguinaire ? »

Les trois hommes éclatèrent de rire.

« Eh bien, vous y êtes presque, dit l'un des soldats barbus d'une profonde voix de basse. Nous sommes la cour du Graal rubis, tel est notre véritable nom, sauf que nous préférons que vous le disiez en latin, comme nous le faisons.

— La cour du Graal rubis ! m'écriai-je. Des sangsues, des parasites, des suceurs de sang, voilà ce que vous êtes tous. Qu'est-ce que le Graal rubis ? Le sang ? »

Je luttai pour me remémorer la piqûre des dents d'Ursula contre ma gorge sans le sort qui l'avait toujours accompagnée, mais il était là, menaçant de m'engloutir, le souvenir odorant et planant des prairies et de son sein moelleux. Je frissonnai de tout mon corps. « Des suceurs de sang. Le Graal rubis ! Est-ce là ce que vous faites d'eux tous, ceux que vous enlevez ? Vous leur sucez le sang ? »

L'Ancien lança un regard appuyé à Ursula. « Qu'est-ce que tu me demandes, Ursula ? lui demanda-t-il. Comment puis-je faire pareil choix ?

— Oh, mais, Godric, il est courageux, fier et fort, répondit Ursula. Godric, si tu dis oui, personne ne s'y opposera. Personne n'élèvera d'objection. S'il te plaît, Godric, je t'en prie ! Quand t'ai-je jamais demandé...

— Demandé quoi ? intervins-je, passant de son visage implorant et défait à celui de l'Ancien. Ma vie ? Est-ce là ce que tu lui demandes ? Tu ferais mieux de me tuer. »

Le vieil homme savait cela. Je n'avais pas besoin de le lui dire. Il était impossible de me faire grâce en cet instant. Je me jetterais simplement contre eux à nouveau, tentant de détruire l'un ou l'autre.

Soudain, comme s'il était pris d'une colère impatiente, l'Ancien se leva avec une agilité surprenante et m'attrapa par le col en passant devant moi dans un grand bruissement gracieux de robes rouges pour m'entraîner, comme si je ne pesais rien, à travers la baie jusqu'à la rambarde de pierre.

« Regarde la Cour », dit-il.

La salle était immense. La saillie sur laquelle nous nous tenions en faisait tout le tour, et, en contrebas, il n'y avait guère un pied de pierre nue, si riches étaient les tentures or et lie-de-vin. La longue table accueillait une chaîne de seigneurs et de dames, tous habillés du rouge profond de rigueur, couleur du sang, et non pas du vin, comme je l'avais cru, et devant eux luisait le bois nu, sans une assiette de nourriture ni une coupe de vin, mais tous étaient satisfaits et regardaient d'un œil rieur, tout en bavardant, les danseurs qui couvraient le sol immense, bondissant adroitement sur d'épais tapis comme s'ils appréciaient ce rembourrage sous leurs pieds légèrement chaussés.

Il y avait tant de cercles imbriqués de silhouettes se déplaçant au rythme de la musique, qu'ils décrivaient une série d'arabesques. Leurs costumes comprenaient toute une palette de styles, depuis le très français jusqu'au florentin moderne, et partout l'on retrouvait de gais cercles de soie teinte en rouge ou des fonds rouges couverts de fleurs ou d'un autre motif qui ressemblait beaucoup à des étoiles ou à des croissants de lune, je ne le distinguais pas clairement.

C'était un tableau à la fois sinistre et somptueux pourtant, tous ces gens vêtus de cette même riche couleur qui trônait quelque part entre l'horreur putride du sang et la splendeur éblouissante de l'écarlate.

Je remarquai la grande abondance de chandelles et de torches. Comme il serait facile de mettre le feu à leurs tapisseries ! Je me demandai s'ils pouvaient brûler eux-mêmes, comme les autres sorcières et hérétiques.

J'entendis Ursula émettre un léger halètement. « Vittorio, sois sage », murmura-t-elle.

À ce murmure, l'homme qui siégeait au milieu de la table — il trônait sur ce même fauteuil d'honneur à très haut dossier qu'occupait mon père en son château — leva les yeux vers moi. Il était blond, aussi blond que l'hirsute que j'avais décapité, mais ses cheveux retombaient en longues boucles peignées et soyeuses sur ses larges épaules. Son visage était jeune, beaucoup plus que celui de mon père, mais bien plus âgé que le mien, aussi inhumainement livide que tous les autres, et ses yeux bleus perçants se posèrent sur moi. Il retourna aussitôt à sa contemplation des danseurs.

Tout le spectacle semblait vibrer avec l'ondoiement chaud et fumant des flammes et, alors que mes yeux se mouillaient de larmes, je découvris avec un sursaut que les personnages qui peuplaient la tapisserie n'étaient pas les tranquilles dames aux licornes de la petite pièce studieuse d'où je venais, mais une sarabande de diables dansant en Enfer. Il y avait même de très hideuses gargouilles, du style le plus violent et cruel, gravées sous la saillie tout autour de l'endroit où nous nous tenions et, sur les chapiteaux des colonnes nervurées qui soutenaient le plafond, je vis d'autres créatures démoniaques et ailées sculptées dans la pierre.

Des grimaces de mal étaient blasonnées sur les murs derrière et devant moi. Dans une tapisserie du niveau inférieur, les cercles de l'Enfer de Dante se chevauchaient de plus en plus haut.

Je contemplai la table nue et luisante. J'avais le vertige. J'allais être malade, perdre connaissance.

« Que l'on t'admette à la Cour, voilà ce qu'elle demande », dit l'Ancien en me pressant durement contre la rambarde, m'empêchant de me libérer, m'empêchant de me détourner. Sa voix était grave et posée, totalement indifférente à la question. « Elle souhaite que nous t'accueillions au sein de notre cour en récompense du fait que tu as tué l'un des nôtres, telle est sa logique. »

Son regard sur moi était pensif, distant. Sa main sur ma nuque n'était ni rude ni cruelle, mais simplement présente.

J'étais un bouillonnement de mots et de jurons à demi prononcés, quand soudain je me rendis compte que je tombais.

Sous la poigne de l'Ancien, j'étais passé par-dessus la rambarde et, une fraction de seconde plus tard, j'étais affalé sur les épaisses couches de tapis ; on me remit debout tandis que les danseurs s'écartaient de part et d'autre pour nous faire place.

Nous nous tenions devant le seigneur en son fauteuil à haut dossier, et je vis que les têtes sculptées dans le bois de son trône royal étaient, bien sûr, animales, félines et diaboliques.

Tout était de bois noir, si bien poli qu'on sentait l'huile qui se mêlait doucement au parfum des lampes, et l'on entendait grésiller les torches.

Les musiciens s'étaient interrompus. Je ne les voyais même pas. Et quand je les aperçus, le petit orchestre haut perché sur son propre balcon ou mezzanine, je découvris qu'eux aussi avaient la peau blanche comme de la porcelaine et de mortels yeux de chat tandis qu'ils me contemplaient, tous hommes minces, modestement habillés, et apparemment inquiets.

Je dévisageai le seigneur. Il n'avait pas bougé ni prononcé un mot. C'était une belle figure d'homme, ses épais cheveux blonds peignés en arrière, dégageant son visage et retombant, comme je l'avais déjà remarqué, en boucles soigneusement ordonnées sur ses épaules.

Ses habits étaient eux aussi à l'ancienne mode, une grande tunique de velours lâche, pas une tunique de soldat, mais presque une robe, ourlée de fourrure teinte en sombre pour s'accorder à sa couleur horrible, et il portait en dessous de magnifiques grandes manches qui bouffaient au-dessus de ses coudes, puis s'effilaient en suivant ses longs et minces avant-bras jusqu'à ses poignets. Une énorme chaîne de médaillons pendait à son cou, chaque disque d'or lourdement travaillé incrusté d'un cabochon, un rubis, aussi rouge que ses habits.

Sa main droite, fine et nue, reposait, simplement déployée, sur la table. Je ne voyais pas l'autre. Il me dévisageait de ses yeux bleus. Il y avait quelque chose de puritain et d'érudit dans cette main nue, dans son raffinement et sa propreté.

Traversant l'épais chevauchement de tapis, Ursula s'avança d'un pas nerveux, tenant ses jupes de ses deux mains délicates. « Florian, dit-elle en faisant une ample révérence devant le seigneur qui trônait à la table. Florian, je t'implore pour celui-ci, pour sa force et son caractère, je te demande de l'admettre à la Cour pour moi, pour mon cœur. C'est aussi simple que cela. »

Sa voix était tremblante mais persuasive.

« À la Cour ? À cette cour ? » demandai-je. Je sentais la chaleur me monter au visage. Je regardai de droite et de gauche. Je contemplai leurs joues blanches, leurs bouches sombres, qui étaient bien trop souvent de la couleur d'une blessure fraîche. Je contemplai les visages blêmes et sans couleur qui me fixaient. Leurs yeux étaient-ils pleins de feu démoniaque, ou était-ce seulement que toute autre parcelle d'humanité avait quitté leur visage ?

Je vis mes propres mains en baissant les yeux, mes propres poings serrés, très rougeauds et très humains, et tout d'un coup, comme par nécessité, je sentis ma propre odeur, l'odeur de ma sueur et de la poussière du chemin collée à ma peau et se mêlant à tout ce qui en moi était simplement humain.

« Oui, tu es un morceau de choix pour nous, dit le seigneur en personne, parlant depuis son trône. Très véritablement, et la salle est pleine de ton odeur. Mais il est trop tôt pour notre festin. Nous festoyons quand sonnent les douze coups, telle est notre constante coutume. »

C'était une belle voix, une voix d'une clarté et d'un charme retentissants, teinte d'un accent français, ce qui en soi peut être tellement séduisant. C'était avec une retenue et une superbe toutes françaises qu'il s'exprimait.

Il me sourit, et son sourire était doux, comme l'était celui d'Ursula, mais point compatissant, et sans rien de cruel ni de sarcastique.

Je n'avais plus d'yeux pour aucun autre visage à sa gauche ou à sa droite. Je savais seulement qu'ils étaient nombreux et que certains appartenaient à des hommes et d'autres à des femmes, que les femmes portaient l'imposant chapeau français de l'ancien temps, et même, quelque part, du coin de l'œil, je crus voir un homme déguisé en bouffon.

« Ursula, dit le seigneur, pareille décision requiert un long examen.

— Vraiment ? m'écriai-je. Vous prétendez faire de moi un membre de votre cour ? N'y songez pas.

— Oh, allons, mon enfant, dit le seigneur de sa voix douce et lénifiante. Nous ne sommes pas sujets à la mort ici, ni au délabrement et à la maladie. Tu te tortilles au bout d'un hameçon, tel un condamné arraché à la mer, et tu ne sais même pas que tu as quitté les eaux nourricières.

— Monseigneur, je ne souhaite pas appartenir à votre cour, dis-je. Gardez votre gentillesse et vos conseils. » Je regardai autour de moi. « Ne me parlez pas de votre festin. »

Ces créatures avaient adopté une immobilité abominable, un regard pétrifié qui était en lui-même totalement contre nature et lourd de menaces. Une vague de répulsion m'envahit. Ou bien c'était de la panique, une panique que je ne pouvais laisser s'emparer de moi, peu importait combien complètement et désespérément j'étais encerclé par eux et combien j'étais seul.

Les silhouettes assises à la table auraient pu être de porcelaine tant elles étaient fixes. En vérité, il semblait que l'acte de poser à la perfection fît partie inhérente de leur prévenance.

« Oh, si j'avais ne serait-ce qu'un crucifix, dis-je à voix basse, sans même penser à ce que je disais.

— Cela nous importerait peu, dit le seigneur d'une voix égale.

— Oh, comme je le sais bien ; votre dame ici présente est entrée dans ma propre chapelle enlever mon frère et ma sœur ! Non, les croix ne signifient rien pour vous. Mais elle signifierait quelque chose pour moi en cet instant. Dites-moi, ai-je des anges autour de moi pour me protéger ? Êtes-vous toujours visibles ? Ou vous arrive-t-il, de temps à autre, de vous fondre dans la nuit et de disparaître ? Et quand tel est le cas, voyez-vous les anges qui me défendent ? »

Le seigneur sourit.

L'Ancien, qui avait lâché mon col, ce dont je lui étais fort reconnaissant, rit doucement dans sa barbe. Mais cela ne souleva d'hilarité chez aucun autre d'entre eux.

Je jetai un coup d'œil à Ursula. Comme elle paraissait énamourée et désespérée ! Comme elle était hardie et ferme tandis que son regard passait alternativement de moi à ce seigneur qu'elle avait appelé Florian ! Mais elle n'était pas plus humaine qu'aucun autre d'entre eux ; elle était la mortelle apparence d'une jeune femme, indescriptiblement belle et gracieuse, mais depuis longtemps hors de la vie, pour ainsi dire. Un sacré graal que ce Graal rubis.

« Écoutez ses mots, seigneur, en dépit de ce qu'il affirme, implora-t-elle. Cela fait bien, bien longtemps qu'une voix nouvelle n'a pas résonné entre ces murs, une voix qui reste parmi nous, qui appartienne à l'un d'entre nous.

— Oui, et il croit presque aux anges et tu le trouves merveilleusement intelligent, dit le seigneur avec bienveillance. Jeune Vittorio, laisse-moi t'assurer qu'il n'y a aucun ange gardien que je puisse voir autour de toi. Et nous sommes toujours visibles, comme tu le sais, car tu nous as vus à notre meilleur comme à notre pire. Non, pas vraiment à notre meilleur, pas à notre plus raffiné.

— Oh ! dis-je, et je n'en puis plus d'attendre, monseigneur, car je suis tellement amoureux de vous tous, de vos boucheries, sans compter bien sûr ce que votre manière de corruption a fait de la ville d'en bas ni la façon dont vous avez réussi à voler jusqu'à l'âme des prêtres.

— Silence, tu t'échauffes jusqu'à une fièvre mortelle, dit-il. Ton odeur emplit mes narines comme si la marmite débordait. Je pourrais te dévorer, mon enfant, te découper en morceaux et distribuer ta chair palpitante d'un bout à l'autre de la table afin qu'elle y soit sucée si prestement que le sang reste bien chaud et que tes yeux clignent... »

À ces mots, je crus devenir fou. Je pensai à mon frère et à ma sœur morts. Je songeai à l'expression hideuse et désespérément tendre de leurs têtes coupées. Je ne pouvais supporter cela. Je fermai les yeux. Je cherchai une image pour chasser ces horreurs. Je tirai de ma mémoire le souvenir de l'archange Gabriel de Fra Filippo Lippi à genoux devant la Vierge, oui, anges, anges, repliez vos ailes autour de moi, maintenant ! oh, Dieu, envoie-moi tes anges !

« Je maudis ta cour maudite, diable à la langue fourchue ! lançai-je. Comment as-tu mis pied sur cette terre ? Comment cela s'est-il produit ? » J'ouvris les yeux, mais je ne vis que les anges de Fra Filippo dans un grand spectacle cascadant, ruisselant, d'œuvres remémorées, d'êtres radieux emplis du chaud souffle charnel de la terre mêlée au Ciel. « Est-il parti en Enfer ? lançai-je plus fort. Celui dont j'ai tranché la tête ? Brûle-t-il ? »

Si le silence peut enfler et retomber sur lui-même, alors c'est ce que fit le silence de cette grande salle, et je n'entendis plus que mon propre souffle oppressé.

Mais le seigneur restait toujours imperturbable.

« Ursula, dit-il. C'est envisageable.

— Non ! m'écriai-je. Jamais ! Me joindre à vous ? Devenir l'un d'entre vous ? »

La main de l'Ancien m'immobilisait de ses doigts serrés

sur mon cou. Je ne parviendrais qu'à me ridiculiser si je me rebellais. S'il serrait sa prise, j'étais mort. Et peut-être eût ce été préférable. Sauf que je n'avais pas fini de parler :

« Jamais de la vie, jamais. Quoi ? Comment osez-vous croire mon âme si vile que vous puissiez l'obtenir rien qu'en la demandant !

— Ton âme ? demanda le seigneur. Qu'est-ce que ton âme si elle refuse de traverser les siècles sous les étoiles insondables au lieu de quelques maigres années ? Qu'est-ce que ton âme si elle refuse la quête éternelle de la vérité plutôt que la brève parenthèse d'une vie humaine ? »

Très lentement, dans un sourd bruissement de vêtements, il se leva, montrant pour la première fois un long et ample manteau rouge qui retomba derrière lui en une large tache d'ombre sanglante. Il inclina à peine la tête, les lumières donnèrent à sa chevelure un air richement doré, et ses yeux bleus s'adoucirent.

« Nous étions ici avant toi et ta parentèle », dit-il. Sa voix restait toujours courtoise. Il respectait toujours parfaitement l'étiquette. « Nous étions ici des siècles avant que vous ne veniez dans nos montagnes. Nous étions ici quand toutes ces montagnes étaient à nous. C'est vous qui êtes les envahisseurs. » Il s'interrompit et se redressa. « C'est votre espèce qui se rapproche sans cesse, avec des fermes, des villages, des forteresses et des châteaux, et qui empiète sur nous, sur les forêts qui nous appartiennent, si bien que nous devons être rusés là où nous serions rapides, et visibles là où nous serions tel le "voleur dans la nuit" de l'Évangile.

— Pourquoi avez-vous tué mon père et toute ma famille ? » demandai-je. Je ne pouvais garder le silence plus longtemps, peu importait la séduction de son éloquence, de son doux ronronnement, de son visage affable.

« Ton père et son père, dit-il, et le seigneur qui le précéda, ont coupé les arbres qui entouraient le château. Je dois donc empêcher la forêt des humains d'anéantir la mienne. Et, de temps à autre, je dois pratiquer une coupe avec ma hache, ce que j'ai fait, ce qui a été fait. Ton père aurait pu me payer tribut et rester tel qu'il était. Ton père aurait pu prononcer un serment secret qui ne requérait presque rien de lui.

— Vous ne pouvez imaginer qu'il vous aurait livré nos bébés ! Pour quoi faire ? Buvez-vous leur sang ou les sacrifiez-vous à Satan sur un autel ?

— Tu le verras en temps voulu, dit-il, car je pense que tu dois être sacrifié.

— Non, Florian, hoqueta Ursula. Je t'en prie.

— Permettez-moi de vous poser une question, aimable seigneur, dis-je, puisque la justice et l'Histoire ont tant de poids pour vous. Si ceci est une cour, une véritable cour, pourquoi ne bénéficié-je pas d'une défense humaine ? Ni de pairs humains ? Ni d'aucun humain pour plaider ma cause ? »

Il sembla troublé par la question. Puis il parla.

« Nous sommes la Cour, mon fils, dit-il. Tu n'es rien, et tu le sais. Nous aurions laissé vivre ton père, comme nous laissons vivre le cerf dans nos forêts afin qu'il puisse s'accoupler à la biche. Cela s'arrête là.

— Y a-t-il des humains ici ?

— Aucun qui puisse t'aider, répondit-il simplement.

— Aucune garde humaine de jour ? demandai-je.

— Aucune garde de jour », dit-il, et pour la première fois il sourit avec quelque fierté. « Penses-tu que nous en ayons besoin ? Crois-tu que notre petite bergerie ne soit pas heureuse le jour ? Imagines-tu qu'il nous faille une garde humaine ici ?

— Très certainement. Et vous êtes un imbécile si vous pensez me voir jamais entrer dans votre cour ! Pas de gardes humains quand en contrebas il y a un village entier qui sait ce que vous êtes et qui vous êtes, que vous venez de nuit et êtes impuissants le jour ? »

Il sourit avec indulgence. « Ils ne sont que vermine, dit-il tranquillement. Tu me fais perdre mon temps avec ceux qui ne méritent pas mon mépris.

— Hum, vous vous portez tort avec un jugement aussi

rude. Je pense que vous avez plus d'amour pour eux, d'une manière ou d'une autre, monseigneur, que cela ! »

L'Ancien rit. « Ou de leur sang peut-être », dit-il dans sa barbe.

Il y eut un bref rire embarrassé quelque part dans la salle, mais il retomba, comme le fragment d'un objet brisé.

Le seigneur reprit la parole :

« Ursula, je vais y songer, mais je ne veux pas...

— Non, car je ne veux pas ! dis-je. Même si j'étais damné, je ne me joindrais pas à vous.

— Surveille ta langue, m'avertit tranquillement le seigneur.

— Vous êtes des imbéciles si vous imaginez que jamais les villageois d'en bas ne vont se soulever, prendre cette citadelle à la lumière du jour et ouvrir vos cachettes ! »

Il y eut un bruissement et un brouhaha à travers la grande salle, mais aucune parole, du moins aucune que je pusse entendre ; cependant on aurait dit que tous ces monstres livides communiquaient entre eux par la pensée ou échangeaient simplement des regards qui faisaient bruisser leurs lourds et magnifiques habits.

« Vous êtes paralysés par la stupidité ! déclarai-je. Vous vous faites connaître de tout le monde du jour, et vous pensez que cette cour du Graal rubis peut durer éternellement ?

— Tu m'insultes », dit le seigneur. Un très léger fard monta délicieusement à ses joues. « Je te demande poliment de rester tranquille.

— Vous insulté-je ? Monseigneur, permettez-moi de vous donner conseil. Vous êtes désarmé de jour ; je sais que vous l'êtes. Vous frappez de nuit et de nuit seulement. Tous les signes et toutes les paroles l'indiquent. Je me souviens de vos hordes fuyant la maison de mon père. Je me souviens de l'avertissement : "Regarde le ciel." Monseigneur, vous avez vécu trop longtemps dans votre forêt de la campagne. Vous auriez dû suivre l'exemple de mon père et envoyer quelques élèves auprès des philosophes et des prêtres de la ville de Florence.

— Cesse de me railler, supplia-t-il avec la même retenue

de bonne éducation. Tu fais lever la colère en moi, Vittorio, et je n'ai pas de place pour elle.

— Votre temps est compté, vieux démon, dis-je. Réjouissez-vous donc dans votre château vétuste tant que vous le pouvez encore. »

Ursula cria sourdement, mais rien ne pouvait m'arrêter.

« Vous avez peut-être acheté l'ancienne génération d'idiots qui gouvernent aujourd'hui cette ville, dis-je, mais si vous refusez d'admettre que les mondes de Florence, de Venise et de Milan avancent sur vous avec plus de férocité que vous ne pourrez jamais en affronter, vous rêvez. Ce ne sont pas les hommes tels que mon père qui sont une menace pour vous, monseigneur. C'est l'érudit avec ses livres ; ce sont les astrologues et les alchimistes de l'Université qui vous attaqueront ; c'est l'âge moderne dont vous ignorez tout : ils vous pourchasseront comme un vieil animal légendaire, vous tireront de cette tanière à la chaleur du soleil et vous trancheront tous la tête...

— Tuons-le ! s'exclama une voix féminine parmi les observateurs.

— Détruisons-le immédiatement, dit un homme.

— Il n'a pas sa place dans la bergerie ! lança un autre.

— Il est indigne de séjourner dans la bergerie, ou même d'être sacrifié. »

Puis tout un chœur se déchaîna pour demander ma mort.

« Non, cria Ursula en tendant les bras en direction du seigneur. Florian, je t'en supplie !

— Torture, torture, torture, commencèrent-ils à psalmodier, à deux, puis trois, puis quatre.

— Monseigneur, dit l'Ancien, mais j'entendais à peine sa voix, ce n'est qu'un enfant. Mettons-le à la bergerie avec le reste de la troupe. Dans une nuit ou deux, il ne se souviendra même plus de son nom. Il sera aussi gras et docile que les autres.

— Tuons-le tout de suite », lança une voix par-dessus toutes. « Finissons-en avec lui », crièrent d'autres, leurs demandes toujours plus pressantes et bruyantes.

Un cri perçant s'éleva, immédiatement relayé.

« Arrachons-lui membre après membre. Maintenant. Sans attendre.

— Oui, oui, oui ! » C'était comme le battement du tambour de guerre.

7

LA BERGERIE

Godric, l'Ancien, cria pour demander le silence au moment même où de nombreuses mains, plutôt glaciales, se saisissaient de mes bras.

Un jour, à Florence, j'avais vu un homme se faire écharper par la foule. Je m'étais trouvé trop près de ce spectacle pour mon propre goût, et avais failli être piétiné par tous ceux qui, comme moi, cherchaient à le fuir.

Ce n'était donc pas un fantasme que de tels événements pussent se produire. J'y étais autant résigné qu'à toute autre forme de mort, croyant, me semble-t-il, aussi puissamment en ma colère et en ma rectitude que je croyais en la mort.

Mais Godric fit reculer les suceurs de sang, et toute la compagnie des faces livides se retira avec une grâce courtoise qui frisait l'obséquiosité écœurante, têtes baissées ou détournées, comme si un instant plus tôt elle n'avait pas été une populace enfiévrée.

Je gardais mon regard fixé sur le seigneur dont le visage manifestait à présent une telle agitation qu'il semblait presque humain, le sang palpitant dans ses joues minces, sa bouche aussi sombre qu'une croûte de sang séché, malgré son dessin harmonieux. Ses cheveux d'or sombre semblaient presque bruns et ses yeux bleus pleins de méditation et de souci.

« Je serais d'avis qu'il soit parqué avec les autres », dit Godric, le vieillard chauve.

Aussitôt, les sanglots d'Ursula explosèrent, comme si elle

n'arrivait plus à se contenir. Je me tournai vers elle : sa tête était inclinée, ses mains luttant pour masquer entièrement son visage, et, à travers les plis de ses longs doigts, des gouttelettes de sang ruisselaient comme si ses larmes en étaient faites.

« Ne pleure pas, dis-je, sans même songer à la sagesse de ce que je disais. Ursula, tu as fait tout ce qui était en ton pouvoir. Je suis impossible. »

Godric se retourna et me regarda en fronçant les sourcils. Cette fois, j'étais assez près de lui pour voir que son crâne chauve portait des poils semblables à ceux de ses maigres sourcils gris, aussi gros et laids que de vieilles échardes.

Ursula sortit une serviette rose des replis de sa longue robe montante à la française, un pâle carré de tissu d'une chose au pourtour brodé de feuilles vertes et de fleurs fuchsia, et elle y essuya ses adorables larmes rouges, puis me regarda comme si elle était brisée par le chagrin.

« Ma situation est impossible, lui dis-je. Tu as fait tout ce qui était en ton pouvoir pour me sauver. Si je le pouvais, je te prendrais dans mes bras pour te protéger de cette douleur. Mais cet animal me retient captif. »

Il y eut des hoquets et des murmures outragés parmi la société immobile aux robes sombres et, dans un halo, je me permis de voir les visages émaciés, sévères, blancs comme neige qui étaient alignés devant la longue table de part et d'autre du seigneur, d'observer certaines des dames qui étaient si françaises sous leurs vieux hennins aux guimpes roses que pas un seul de leurs cheveux n'était visible. Il y avait quelque chose d'absurdement français en même temps que de la délicatesse en elles, et, bien sûr, toutes étaient des démons.

L'Ancien, Godric, gloussa seulement.

« Des démons, dis-je, quelle collection !

— La bergerie, monseigneur, dit Godric, le chauve. Avec les autres, après quoi je pourrai vous faire mes suggestions en privé, et nous parlerons avec Ursula. Elle se chagrine à tort.

— Non ! s'écria-t-elle. S'il te plaît, Florian, ne serait-ce que parce que jamais je ne t'ai rien demandé de pareil, et tu le sais.

— Oui, Ursula, dit le seigneur de la voix la plus douce qui fût sortie de sa bouche jusque-là. Je le sais, ma fleur très adorable. Mais cet enfant est récalcitrant, et sa famille, lorsque de temps à autre ils eurent l'avantage sur ceux d'entre nous qui s'aventuraient là-bas pour chasser, a détruit ces membres infortunés de notre tribu. Cela s'est produit plus d'une fois.

— Merveilleux ! m'écriai-je. Quel brave, quel merveilleux cadeau vous me faites. »

Le seigneur était surpris et embarrassé.

Mais Ursula s'avança précipitamment dans une grande agitation de sombres robes de velours ombrageux et se pencha par-dessus la table polie pour être plus près de lui. Je ne voyais que ses cheveux coiffés en longues tresses épaisses, exquisément entrelacées de rubans de velours rouge, et la forme de ses bras magnifiques, si parfaitement minces et ronds en même temps, m'enchantait contre ma propre volonté.

« À la bergerie, s'il vous plaît, Monseigneur, et laissez-moi l'avoir au moins autant de nuits qu'il m'en faudra pour que mon cœur accepte ce que vous proposez. Qu'il soit admis ce soir à la messe de Minuit, et qu'il s'en émerveille. »

Je ne fis aucune réponse à cela. Je me contentai de le mémoriser.

Deux membres de la société, des hommes rasés de près en robe de cour, firent soudain leur apparition à mes côtés afin d'assister Godric, semblait-il, dans mon incarcération.

Avant que je ne comprisse ce qui m'arrivait, un bandeau de tissu doux fut noué devant mes yeux. J'étais aveugle.

« Non, laissez-moi voir ! m'écriai-je

— À la bergerie donc, c'est cela, très bien », fit la voix du seigneur, et je me sentis emporté hors de la salle, rapidement, comme si les pieds de ceux qui m'escortaient avaient à peine eu besoin de toucher le sol.

La musique s'éleva de nouveau en une pulsation étrange, mais je fus heureusement conduit loin d'elle. Seule la voix d'Ursula m'accompagna tandis que j'étais emporté en haut d'un escalier, mes pieds heurtant violemment de temps à autre le bord des marches, et les doigts qui m'agrippaient me serrant sans égard.

« Sois tranquille, s'il te plaît, Vittorio, ne lutte pas, sois brave pour moi dans le silence.

— Et pourquoi, mon amour ? demandai-je. Pourquoi jeter ton dévolu sur moi ? Peux-tu m'embrasser sans la piqûre de tes dents ?

— Oui et oui et oui », me dit-elle à l'oreille.

J'étais entraîné le long d'un passage. J'entendais un bruyant chœur de voix mixtes, échos de conversations ordinaires, du vent qui soufflait et d'une musique d'un genre tout différent.

« Qu'est-ce ? Où allons-nous ? » demandai-je.

Derrière moi, j'entendis des portes claquer, puis le bandeau fut arraché de mes yeux.

« C'est la bergerie, Vittorio, dit-elle en pressant son bras contre le mien et essayant de chuchoter à mon oreille. C'est là que sont parquées les victimes jusqu'à ce que l'on ait besoin d'elles. »

Nous étions sur un haut palier de pierre nue ; un escalier descendait en dessinant une courbe vers l'immense cour qui abritait tant d'activités et de genres si bizarres qu'il me fut impossible de tout comprendre immédiatement.

Nous étions dans l'enceinte du château, cela était clair. La cour elle-même était fermée sur ses quatre côtés, et je vis en levant les yeux que les murs étaient parés de marbre blanc et que l'on trouvait partout les étroites fenêtres doubles à arc brisé de style français. Au-dessus, les cieux avaient une vive lueur palpitante, alimentée sans doute par les innombrables torches qui crépitaient sur les toits et les contreforts du château.

Tout cela ne signifiait pas grand-chose pour moi, sinon que l'évasion était impossible, car les fenêtres les plus proches étaient bien trop hautes et le marbre beaucoup trop lisse pour être escaladé par un être humain.

Il y avait de nombreux petits balcons en surplomb, et eux

aussi étaient impossiblement hauts. Je vis de pâles démons en habit rouge sur ces balcons, qui me regardaient comme si mon introduction en ce lieu était un spectacle. Il y avait quelques très vastes galeries, et elles aussi étaient garnies d'occupants oisifs exultants et impitoyables.

Qu'ils soient tous maudits ! pensai-je.

Ce qui m'étonnait et me fascinait, c'était le grand fouillis d'êtres et d'habitations qui encombrait la cour devant moi.

Tout d'abord, elle était beaucoup plus vivement illuminée que la spectrale cour où je venais de passer en jugement, si l'on pouvait parler de jugement, et c'était un monde en soi — une cour rectangulaire plantée de douzaines d'oliviers et d'autres arbres en fleurs, des orangers, des citronniers, tous bardés de lanternes.

C'était tout un petit monde de gens qui semblaient ivres et désorientés. Des corps, certains à demi nus, d'autres entièrement, et même richement, habillés, s'agitaient, trébuchaient ou gisaient sans but. Tous étaient crasseux, débraillés, avilis.

Il y avait des masures un peu partout, de simples cabanes de jonc de paysan à l'ancienne mode, des cahutes de bois ouvertes, de petites enclaves de pierre, des jardins en charmille et d'innombrables chemins sinueux.

C'était un labyrinthe ivre de jardin de pierre sous la nuit nue.

Les arbres fruitiers poussaient en épais bosquets, puis cédaient la place à des étendues herbeuses où les gens étaient simplement étendus sur le dos et contemplaient les étoiles comme s'ils somnolaient, bien qu'ils eussent les yeux ouverts.

Des myriades de vignes en fleur couvraient des enclos grillagés qui semblaient n'être là qu'afin de créer des alcôves d'intimité, et il y avait des cages géantes pleines d'oiseaux gras, oui, d'oiseaux, des brasiers disséminés, et de grands chaudrons qui chantaient sur des lits de braise d'où s'élevait une odeur puissamment épicée.

Des chaudrons ! Emplis de bouillon !

Je vis qu'un quatuor de démons errait — il y en avait

oncles, mettant leurs épées au clair du mieux qu'ils le pouvaient avec leurs vieilles mains rouillées.

Des clameurs s'élevèrent tout autour dans la nuit, puis vinrent les appels des soldats et le branle sonore des vieilles cloches dans chaque tour.

Mon père me saisit par le bras. « Vittorio, viens », dit-il, et aussitôt, tirant la poignée de la trappe, il la souleva et me fourra dans la main un des lourds cierges de l'autel.

« Emmène ta mère, tes tantes, ta sœur et ton frère là, en bas, tout de suite, et ne sortez pas, quoi que vous entendiez ! Ne sortez pas. Verrouille la trappe et reste en bas ! Fais ce que je te dis ! »

J'obéis sur-le-champ, attrapant Matteo et Bartola, et les poussant devant moi dans l'escalier de pierre. Mes oncles s'étaient précipités dans la cour, lançant leurs anciens cris de guerre, mes tantes trébuchaient et s'évanouissaient, enlaçaient l'autel sans vouloir en démordre, tandis que ma mère s'agrippait à mon père.

Mon père était en plein paroxysme. Je tendis le bras vers la plus âgée de mes tantes qui s'était évanouie au pied de l'autel, mais mon père se rua sur moi et me poussa dans la crypte, avant de refermer la trappe.

Je n'avais d'autre choix que de la verrouiller comme il me l'avait montré, et de me retourner, brandissant le cierge vacillant, vers Bartola et Matteo, tous deux terrifiés.

« Descendez jusqu'en bas, criai-je, jusqu'en bas. »

Ils manquèrent tomber en essayant de descendre à reculons les marches étroites, qui étaient fort difficiles, sans me quitter du regard.

« Que se passe-t-il, Vittorio, pourquoi veulent-ils nous faire du mal ? demanda Bartola.

— Je veux les combattre, dit Matteo. Vittorio, donne-moi ta dague. Tu as une épée. Ce n'est pas juste.

— Chut, tiens-toi tranquille, faites ce que notre père nous a dit. Croyez-vous que cela me fasse plaisir de n'être pas dehors avec les hommes ? Silence ! »

Je ravalai mes larmes. Ma mère était là-haut ! Mes tantes !

L'air était froid et humide, mais on s'y sentait bien. J'étais peut-être d'autres encore —, membres décharnés et aussi livides que leurs seigneurs, et obligés aux mêmes vêtements couleur de sang, sauf qu'ils étaient vêtus de hardes informes qui n'étaient que des guenilles — des habits de paysan.

Deux d'entre eux s'affairaient autour d'un chaudron frémissant de bouillon ou de soupe, ou quoi que ce fût, tandis qu'un autre balayait avec un grand balai de joncs, et qu'un autre encore transportait négligemment sur sa hanche un petit nourrisson vagissant dont la tête roulait douloureusement sur son cou trop frêle.

C'était plus grotesque et troublant que la hideuse cour d'en bas, avec ses hautains pseudo-aristocrates cadavériques.

« Ça me pique les yeux, dis-je. Je sens la fumée qui s'élève des chaudrons. » C'était une âcre et délicieuse mixture de diverses substances. Je pouvais identifier nombre des riches épices, ainsi que l'odeur du bœuf et du mouton, mais d'autres essences plus exotiques s'y mêlaient.

Partout des humains erraient dans cette hébétude désespérée. Des enfants, des vieilles femmes, les fameux impotents dont on ne voyait plus trace dans la ville d'en bas, des bossus, des petits corps tordus qui n'avaient jamais atteint leur plein développement, de grands hommes costauds aussi, barbus et basanés, et des garçons de mon âge ou plus âgés, tous errant en traînant les pieds ou gisant couchés, mais hébétés, et fous, et levant les yeux vers nous, et clignant des yeux, et s'interrompant comme si notre présence devait signifier quelque chose bien qu'ils fussent incapables de savoir quoi.

J'oscillais sur le palier ; Ursula dut me tenir le bras. J'étais tenaillé par la faim tandis que les lourdes fumées envahissaient mes narines. La faim, une faim comme je n'en avais jamais connu. Non, c'était une pure soif de soupe, comme s'il n'existait d'autre nourriture que liquide.

Soudain, les deux hommes émaciés et hautains qui ne nous avaient pas quittés — ceux qui m'avaient bandé les yeux et traîné jusqu'ici — firent demi-tour et descendirent les marches, faisant sonner martialement leurs talons sur la pierre.

Quelques cris impatients s'élevèrent de la foule bigarrée et disséminée. Des têtes se tournèrent. Des corps apathiques essayèrent de s'extirper de leur torpeur vaporeuse.

Les deux seigneurs, avec leurs longues manches pendantes et leurs dos raides, s'avancèrent ensemble tels deux jumeaux tandis qu'ils approchaient du premier des chaudrons visibles.

J'observai les mortels ivres qui se rassemblaient et avançaient en trébuchant vers les seigneurs vêtus de rouge. Quant à ces seigneurs, ils semblaient être très fiers de mystifier tout le monde.

« Que font-ils ? Que vont-ils faire ? » J'étais malade. J'allais défaillir. Comme il se dégageait pourtant une douce odeur de cette soupe, et comme je voulais y goûter ! « Ursula », dis-je. Mais je ne savais pas quels mots former pour suivre cette invocation de son nom.

« Je te retiens, mon amour. Voici la bergerie. Regarde, tu vois ? »

À travers une brume, je vis les seigneurs passer sous les branches hérissées et luisantes des orangers en fleur où pendaient encore des fruits, comme si aucune de ces âmes enflées et léthargiques n'avait besoin d'une chose fraîche et brillante telle qu'une orange.

Les seigneurs prirent position de part et d'autre du premier chaudron, puis chacun, tendant le bras droit, entailla son poignet d'un couteau qu'il tenait de la main gauche, et laissa le sang couler à flots dans le potage.

Un faible cri de bonheur s'éleva parmi les hommes humblement rassemblés autour d'eux.

« Oh, détestation, c'est le sang bien sûr », murmurai-je. Je serais tombé si Ursula ne m'avait retenu. « Le potage est assaisonné de sang. »

L'un des seigneurs se détourna, comme si la fumée et l'odeur le dégoûtaient, mais il se laissa saigner dans la mixture. Puis, se tournant vivement, presque avec humeur, il tendit la main pour saisir le bras de l'un des maigres et faibles démons livides habillés en paysan.

Il attrapa le pauvre diable et le tira jusqu'au chaudron.

Le piteux démon supplia en gémissant pour qu'on le lâchât, mais ses poignets furent tous deux entaillés et, bien qu'il détournât son visage osseux, il saignait maintenant furieusement dans la soupe.

« Ah, vous êtes meilleurs que Dante avec vos cercles de l'Enfer, n'est-ce pas ? » dis-je. Mais j'étais blessé d'avoir employé un tel ton avec elle.

Elle abonda dans mon sens.

« Ce sont des paysans, oui, qui rêvent d'être des seigneurs, et s'ils obéissent, ils le seront peut-être. »

Je me souvins alors que les démons-soldats qui m'avaient ramené au château avaient été de rudes chasseurs. Comme tout était bien organisé ! Mais elle, mon amour aux épaules étroites, avec ses bras doucement capitulants et son visage luisant de larmes, était une vraie dame, n'est-ce pas ?

« Vittorio, j'ai tellement envie que tu ne meures point.

— Vraiment, très chère ? » demandai-je. Je la tenais dans mes bras. Je ne tenais plus debout sans son soutien.

Ma vision se brouillait.

Cependant, la tête calée contre son épaule, les yeux tournés vers la foule en contrebas, je voyais les êtres humains entourer les chaudrons et plonger leur bol dans le breuvage à l'endroit exact où le sang était tombé, puis souffler sur le liquide chaud pour le refroidir avant de boire.

Un rire perlé, horrible, résonna entre les murs. Je pense qu'il venait des spectateurs perchés sur les balcons.

Il y eut un vif tourbillon de rouge, comme si un drapeau géant était tombé en se déployant.

Mais c'était une dame qui avait bondi depuis les lointaines hauteurs pour atterrir au milieu des hordes extatiques de la bergerie.

Ils s'inclinèrent et la saluèrent, puis reculèrent en poussant de bruyants hoquets de terreur lorsqu'elle s'approcha à son tour du chaudron et entailla son poignet avec un rire rebelle et bruyant pour y faire couler son sang.

« Oui, mes chéris, mes petits agneaux », dit-elle. Elle leva les yeux vers nous.

« Viens, Ursula, aie pitié de notre petit monde affamé,

sois généreuse ce soir. Si ce n'est pas ton tour de donner, fais-le quand même en l'honneur de notre nouvelle acquisition. »

Ursula semblait avoir honte de tout cela et me retenait doucement de ses longs doigts. Je la regardai dans les yeux.

« Je suis ivre, ivre du seul fumet.

— Mon sang n'est que pour toi, chuchota-t-elle.

— Donne-le-moi alors, j'en suis affamé, je suis si faible que je pourrais mourir, dis-je. Oh, Seigneur, tu m'as amené à ça. Non, non, je l'ai fait moi-même.

— Chut, mon amant, mon doux », dit-elle.

Son bras s'enroula autour de ma taille et ses tendres lèvres vinrent se poser juste sous mon oreille, pinçant la chair comme si elle voulait me faire un suçon au cou, la chauffant de sa langue, puis vint la piqûre de ses dents.

Je me sentis emporté et je tendis les deux bras en rêve vers sa silhouette tandis que nous courions ensemble à travers la prairie qui n'appartenait qu'à nous et où les autres ne pourraient jamais accéder.

« Oh, innocent amour, dit-elle en même temps qu'elle me suçait, oh, innocent, innocent amour. »

Puis soudain un feu brûlant pénétra la blessure de mon cou et ce fut comme un délicat parasite aux longues vrilles qui, une fois dans mon corps, pouvait pénétrer jusqu'au plus profond de moi.

La prairie s'étendait autour de nous, vaste et fraîche, et totalement abandonnée aux lis en fleur. Était-elle avec moi ? À côté de moi ? Il me sembla en un instant rayonnant que j'étais seul et l'entendais appeler comme si elle était derrière moi.

Je voulais, dans ce rêve extatique, ce rêve palpitant et frais de ciels bleus et de tiges ployées, faire demi-tour et aller vers elle. Mais du coin de l'œil, j'aperçus quelque chose d'une telle splendeur, d'une telle magnificence, que mon âme bondit.

« Regarde, oui, tu vois ! »

Ma tête retomba. Le rêve était parti. Les hauts murs de marbre blanc du château-prison barraient mon regard douloureux. Elle me tenait et me contemplait, abasourdie, les lèvres en sang.

Elle me souleva dans ses bras. J'étais aussi impuissant qu'un enfant. Elle m'emporta au bas des escaliers et je ne pus rien faire pour commander à mes membres.

Il semblait que le monde d'en haut ne fût que silhouettes minuscules alignées sur les galeries et les remparts, silhouettes qui riaient et pointaient leurs microscopiques mains tendues, si sombres contre toutes les torches qui les entouraient.

Rouge sang, sens-le.

« Mais qu'était-ce ? L'as-tu vu dans le champ ? lui demandai-je.

— Non ! » s'écria-t-elle. Elle paraissait terriblement effrayée.

Je gisais sur un tas de foin, un lit de fortune, et les pauvres petits démons paysans sous-alimentés me regardaient stupidement de leurs yeux injectés de sang, et elle, elle pleurait, les mains plaquées contre le visage.

« Je ne peux pas le laisser ici », dit-elle.

Elle était loin, très loin. J'entendis des gens pleurer. Y avait-il une révolte parmi les drogués et les damnés ? J'entendis des gens sangloter.

« Mais tu le feras ; viens au chaudron d'abord et donne ton sang. »

Qui prononça ces paroles ?

Je ne savais pas.

« ... l'heure de la messe.

— Tu ne le prendras pas ce soir.

— Pourquoi pleurent-ils ? demandai-je. Écoute, Ursula, ils se sont tous mis à pleurer. »

L'un des garçons efflanqués me fixa droit dans les yeux. Il avait posé une main sur ma nuque et portait un bol de potage à ma bouche. Je ne voulais pas qu'il coulât le long de mon menton. Je bus, je bus. Il emplit ma bouche.

« Pas ce soir », fit la voix d'Ursula. Des baisers sur mon front, sur mon cou. Quelqu'un l'arracha. Je sentis sa main serrer la mienne, puis compris qu'on l'entraînait.

« Viens maintenant, Ursula, laisse-le.

— Dors, mon amour », cria-t-elle dans mon oreille. Je sentis ses robes m'effleurer. « Dors, Vittorio. »

Le bol fut jeté de côté. Stupidement, totalement enivré, je regardai son contenu couler et s'enfoncer sombrement dans le tas de foin. Elle s'agenouilla devant moi, la bouche ouverte, tendre, lascive et rouge.

Elle prit mon visage entre ses mains fraîches. Le sang coula de sa bouche dans la mienne.

« Oh, amour », dis-je. Je voulais voir la prairie. Elle ne venait pas. « Fais-moi voir la prairie ! Fais-moi-la voir ! »

Mais il n'y avait pas de prairie, seulement la vue choquante de son visage à nouveau, puis une lumière déclinante, une étreinte croissante d'ombre et de son. Je ne pouvais plus lutter. Je ne pouvais plus parler. Je ne pouvais plus me souvenir... Mais quelqu'un avait dit cette même chose.

Et les pleurs. C'était tellement triste. Pleurer comme ça, dans des sanglots mornes et désespérés.

Quand je rouvris les yeux, c'était le matin. Le soleil me fit mal, et ma tête m'élançait insupportablement.

Un homme était juché sur moi et essayait de me dépouiller de mes vêtements. Imbécile d'ivrogne. Je me retournai, confus et malade, malade à vomir, le fis basculer et l'assommai d'un coup bien asséné.

J'essayai de me lever, mais j'en étais incapable. La nausée était insupportable. Tout autour de moi, les autres dormaient. Le soleil me faisait mal aux yeux. Il me brûlait la peau. Je m'enfouis dans le foin. La chaleur me terrassait, et, lorsque je passai une main dans mes cheveux, je les sentis brûlants. La douleur qui me vrillait la tête palpitait dans mes oreilles.

« Viens à l'abri », dit une voix. C'était une vieille bique, et elle me faisait signe sous un toit de chaume. « Viens là où il fait frais.

— Soyez tous maudits », dis-je. Je dormis. Je dérivai.

Vers la fin de l'après-midi, je revins à moi.

Je me retrouvai à genoux près de l'un des chaudrons. Je

bus. Je bus à grands traits baveux un bol de mixture. La vieille femme me l'avait donné.

« Les démons, dis-je. Ils dorment. Nous pouvons... nous pouvons... », mais la vanité de mon appel me terrassa. Je voulus jeter le bol, mais je bus la chaude mixture.

« Ce n'est pas seulement du sang, c'est du vin, du bon vin, dit la femme. Bois-le, mon garçon, et ne souffre plus. Ils te tueront bien assez tôt. Ce n'est pas si terrible. »

Je sentis le moment où l'obscurité revint.

Je roulai sur moi-même.

Je pouvais ouvrir complètement les yeux et ils ne me faisaient pas mal comme en plein jour.

Je sus que j'avais perdu toute la course du soleil dans cette stupeur droguée, idiote et désastreuse. J'avais obéi à leurs plans. J'avais été impuissant quand j'aurais dû essayer d'amener tous ces incapables qui m'entouraient à la mutinerie. Seigneur Dieu, comment avais-je pu me laisser faire ? Oh, quelle tristesse, quelle sombre et lointaine tristesse... et quelle douceur dans le sommeil !

« Réveille-toi, mon garçon. »

La voix d'un démon.

« Ils te veulent ce soir.

— Oh, qui donc me veut pour quoi faire ? » demandai-je. Je levai les yeux. Les torches étaient allumées. Tout brillait et reluisait, et j'entendis le doux bruissement de feuilles au-dessus de moi — l'odeur piquante et douce des orangers. Le monde était tissé par les flammes qui dansaient au-dessus et par les motifs enchanteurs des feuilles noires. Le monde était faim et soif.

La mixture bouillonnait à petit feu, et son parfum écrasait tout le reste. J'ouvris la bouche pour en avaler, bien qu'il n'y en eût point près de moi.

« Je t'en donnerai, fit la voix du démon. Mais lève-toi. Je dois faire ta toilette. Tu dois avoir belle allure pour ce soir.

— Pourquoi ? dis-je. Ils sont tous morts.

— Qui ?

— Ma famille.

— Il n'y a pas de famille ici. C'est la cour du Graal rubis.

Tu es la propriété du seigneur de la Cour. Viens maintenant, il faut que je te prépare.

— Pour quoi me prépares-tu ?

— Pour la messe. Il faut que tu te lèves », dit le démon qui me contemplait avec lassitude, appuyé sur son balai, ses cheveux brillants donnant à son visage un air de lutin ébouriffé. « Lève-toi, mon garçon. Ils te veulent. Il est presque minuit.

— Non, non, pas presque minuit, non ! m'écriai-je. Non !

— N'aie pas peur, dit-il froidement, avec lassitude. C'est inutile.

— Mais vous ne comprenez pas, c'est la perte de temps, la perte de raison, la perte des heures durant lesquelles mon cœur a battu et mon cerveau dormi ! Je n'ai pas peur, misérable démon ! »

Il me plaqua contre le foin. Il me lava le visage.

« Là, là, te voilà tout beau. Ils sacrifient toujours immédiatement ceux de ton espèce. Tu es trop fort, trop délié des membres et du visage. Regarde-toi, et la dame Ursula qui rêve de toi et pleure pour toi ! Ils l'ont emmenée.

— Ah, mais je rêvais aussi... », dis-je. Parlais-je à ce domestique monstrueux comme si lui et moi étions amis ? Où était l'immense et magnifique toile de mes rêves, l'immense et lumineuse majesté ?

« Tu peux me parler, pourquoi pas ? dit-il. Tu vas mourir en extase, mon beau jeune seigneur, dit-il. Et tu verras l'église tout illuminée, et la messe ; tu seras le sacrifice.

— Non, j'ai rêvé de la prairie, dis-je. J'ai vu quelque chose dans la prairie. Non, ce n'était pas Ursula. » Je me parlais à moi-même, à mon âme malade et tourmentée, je parlais à mon esprit pour l'obliger à écouter. « J'ai vu quelqu'un dans la prairie, quelqu'un de si... je ne peux pas...

— Tu te fais tant de mal, dit le démon d'un ton apaisant. Voilà, je t'ai remis tous tes boutons et toutes tes boucles en place. Quel beau seigneur tu as dû être ! »

As dû être, as dû être, as dû être...

« Tu entends ? demanda-t-il.

— Je n'entends rien.

— C'est la cloche qui frappe le troisième quart de l'heure. C'est presque l'heure de la messe. Ne fais pas attention au bruit. Ce sont les autres qui seront sacrifiés. Ne te laisse pas démonter par cela. Ce ne sont que les lamentations habituelles. »

8

Requiem, ou le saint sacrifice de la messe
tel que je ne l'avais jamais vu

Avait-on jamais vu plus belle chapelle ? Le marbre blanc avait-il jamais été si bien mis en valeur, et de quelle fontaine d'or éternel provenaient ces glorieuses fioritures et ces ornements, ces fenêtres hautes et effilées, illuminées de l'extérieur par des feux dévorants qui allumaient, tels des joyaux parfaits, les facettes de leurs petits carreaux épais de verre teinté les transformant en des images sacrées empruntes de solennité ?

Mais il ne s'agissait pas d'images sacrées.

Je me tenais dans la galerie du chœur, loin au-dessus du vestibule, contemplant l'immense nef et l'autel à l'autre bout. Une fois de plus, j'étais flanqué des sinistres et royaux seigneurs qui semblaient à présent accomplir leur devoir avec une ferveur absolue tandis qu'ils me tenaient fermement par les bras.

Mon esprit s'était éclairci, mais un peu seulement. Le tissu humide fut une fois de plus appliqué contre mes yeux et mon front. L'eau semblait provenir d'un torrent de montagne issu de la fonte des neiges.

Dans ma maladie, dans ma fièvre, je voyais tout.

Je vis les démons représentés dans les vitraux, aussi habilement assemblés en verre rouge, doré et bleu, que des anges ou des saints. Je vis leurs visages lascifs tandis qu'ils contemplaient la congrégation, ces monstres aux ailes palmées et aux mains semblables à des serres.

En contrebas, la Grande Cour était réunie dans ses atours

de rubis sombre de part et d'autre d'une large allée centrale, debout face à la large balustre du chœur lourdement ornée et au grand autel derrière elle.

Derrière l'autel, l'alcôve était couverte de peintures. Démons dansant en Enfer, aussi gracieux parmi les flammes que s'ils baignaient dans un rayonnement bienvenu, et, tendues au-dessus d'eux sur des bannières lâches et déployées, les lettres d'or des paroles de saint Augustin, si familières à mon étude, selon lesquelles ces flammes n'étaient pas les flammes d'un vrai feu mais seulement l'absence de Dieu, sauf que le mot « absence » avait été remplacé par le mot latin *libertas*.

Libertas était le mot latin gravé sur les hauts murs de marbre blanc en une frise qui courait sous les balcons de chaque côté de l'église, au niveau où je me trouvais, d'où une grande partie de la Cour contemplait le spectacle.

La lumière s'élevait pour inonder les hautes arches du plafond.

Quel était ce spectacle ?

Le grand autel était drapé de cramoisi ourlé d'une frange dorée, son abondante parure suffisamment courte pour révéler la gravure en manière noire de silhouettes paradant en Enfer, bien qu'à cette distance mes yeux eussent pu me tromper quant à leur gaillardise.

Ce que je voyais à la perfection, c'étaient les épais cierges posés au pied, non d'un crucifix, mais d'une énorme statue en pierre de Lucifer, l'ange déchu, aux longues boucles en feu, avec pour vêtements un torrent de feu embrasé, gelé dans le marbre, et dans ses mains levées les symboles de la mort — à droite la faux de la sinistre Faucheuse, à gauche la hache du bourreau.

Je m'étouffai en découvrant l'objet. Monstrueux, il était situé à l'endroit exact où j'aurais si ardemment voulu voir mon Christ en croix, et cependant, dans un instant d'agitation et de délire, je sentis mes lèvres se retrousser en un sourire et j'entendis mon propre esprit me dire avec fourberie que le Dieu crucifié n'aurait pas été moins grotesque si Lui-même avait été là.

Mes gardes me soutenaient fermement. Avais-je vacillé ?

De l'assemblée qui m'entourait, d'entre ceux que je n'avais même pas vus, s'éleva soudain le sourd roulement de tambours, lents et menaçants, lugubres et beaux dans leur simplicité assourdie.

Suivit aussitôt un profond chœur de trompes, en un chant amoureusement entrelacé, entremêlé sans effort, non plus les accords répétitifs de la veille au soir, mais une puissante polyphonie de mélodies plaintives et implorantes, si mélancoliques qu'elles inondèrent mon cœur de tristesse, caressèrent mon âme et firent perler les larmes à mes yeux.

Oh, qu'était-ce donc ? Quel était ce riche mélange de musiques qui m'entourait et se déversait dans la nef pour rebondir sur le marbre satiné et rejaillir doucement avec une parfaite modulation jusqu'à l'endroit où je me tenais, fixant, fasciné, la lointaine figure de Lucifer ?

À ses pieds, toutes les fleurs déposées dans des vaisseaux d'argent et d'or étaient rouges, du rouge des roses et des œillets, du rouge des chrysanthèmes, du rouge des fleurs sauvages dont j'ignorais le nom, un autel vivant, couvert et débordant de toutes ces choses de couleur vive, sa teinte glorieuse, la seule qui lui restât qui pût se détacher de son inévitable et inexpiable obscurité.

J'entendis le chant poussiéreux et sonore du chalumeau, du petit hautbois et de la diaule, et d'autres petits orgues à bouche, puis les accents plus retentissants du cor de saquebute basse et peut-être même le chant léger des marteaux frappant les cordes tendues du doulcemer.

À elle seule, la musique aurait pu m'entraîner, emplir mon âme, les fils de sa mélodie s'entrecroisant, se chevauchant et s'harmonisant, puis se séparant de nouveau. Elle ne me laissait ni souffle pour parler ni regard pour autre chose. Cependant, je contemplais les statues des démons alignées à droite et à gauche — si semblables aux seigneurs et aux dames de la haute table de la veille au soir — de l'imposante figure de leur Diable.

Étaient-ils tous des suceurs de sang, ces terribles saints émaciés de l'Enfer, taillés dans un bois dur aux reflets rougeâtres d'acajou, dans leurs raides habits stylisés collés sur des corps décharnés, avec leurs yeux mi-clos, leurs bouches ouvertes, et contre chaque lèvre inférieure deux crocs blancs comme taillés dans de petits bouts d'ivoire immaculé pour marquer la nature de chacun des monstres ?

Oh, cathédrale des horreurs ! J'essayai de détourner la tête, de fermer les yeux, et cependant toute cette monstruosité m'ensorcelait. De pathétiques pensées informes n'atteignaient jamais mes lèvres.

Les cors cessèrent de jouer, et les anches campagnardes se turent peu à peu. Oh, ne pars pas, douce musique... Ne m'abandonne pas ici !

Mais ce qui suivit fut un chœur des plus douces et chaudes voix de ténors ; elles lancèrent des mots latins que je ne pus suivre, un hymne aux morts, un hymne à la mutabilité de toutes choses, et furent aussitôt rejointes par un plein chœur aux harmonies chatoyantes de sopranos masculins et féminins, de basses et de barytons, chantant avec allant une magnifique polyphonie en réponse à ces ténors solitaires :

« Je vais maintenant vers le Seigneur, car Il a permis à ces créatures de l'Ombre de répondre à mes supplications... »

Qu'étaient-ce que ces paroles cauchemardesques ?

Une fois encore, le chœur riche et dru de voix nombreuses vint souligner les ténors :

« Les instruments de mort m'attendent dans leur baiser chaud et dévot, et dans leurs corps, par la volonté de Dieu, ils prendront le sang de ma vie, mon extase, l'ascension de mon âme à travers la leur, afin de mieux connaître tant le Ciel que l'Enfer dans leur sombre service. »

L'orgue à bouche joua son air solennel.

Dans le sanctuaire de l'église s'avançait maintenant, accompagnées du chatoiement le plus moelleux de la polyphonie, un flot de silhouettes sacerdotales.

Je vis le seigneur Florian dans une riche chasuble rouge, comme s'il était l'évêque de Florence en personne, sauf qu'il arborait impudemment la croix de notre Christ à l'envers, en l'honneur du Damné, et, sur sa tête non tonsurée mais

couverte de sombres cheveux blonds, il portait une couronne dorée constellée de pierres précieuses, comme s'il
était à la fois un monarque franc et un serviteur du Seigneur
des Ténèbres.

Les notes perçantes des cors dominaient le chant. Une
marche avait commencé. Les tambours grondaient par-
dessous, sourds et implacables.

Florian avait pris position derrière l'autel, le visage tourné
vers la congrégation, et à côté de lui se tenait la frêle Ursula,
ses cheveux défaits coulant sur ses épaules, bien qu'elle fût
couverte, telle une Marie-Madeleine, d'un voile écarlate qui
tombait jusqu'au bord de l'ourlet de sa robe étroite.

Son visage levé était tourné vers moi, et je voyais, même
depuis la grande distance qui nous séparait, que ses mains
jointes en prière, doigts accolés les uns aux autres,
tremblaient.

De l'autre côté du haut prêtre Florian se tenait l'Ancien,
dans une chasuble à manches de dentelles lourdement bro-
dées, deuxième assistant sacerdotal.

Des acolytes apparurent de part et d'autre, jeunes démons
de haute taille, aux visages de l'habituelle teinte d'ivoire
buriné, revêtus des simples surplis de ceux qui servent la
messe. Ils prirent place en rang le long de la longue balustre
de marbre du chœur.

Une fois encore, le magnifique chœur des voix s'éleva
autour de moi, falsettos se mêlant aux vraies sopranos et
aux basses bourdonnantes des hommes, aussi évocatrices
des forêts que les cors en bois, porté par la puissante et
frémissante déclaration des cuivres.

Que voulaient-ils faire ? Qu'était ce cantique que chantaient à présent les ténors, et quelle était la réponse qui
venait de toutes ces voix si proches de moi, les mots latins
se distendant et m'arrivant dans une espèce d'incohérence :

« Seigneur, je suis descendu dans la Vallée de la Mort ;
Seigneur, je suis parvenu au terme de ma peine ; Seigneur,
dans Ta délivrance je donne vie à ceux qui seraient oisifs en
Enfer s'il n'y avait Ton plan divin. »

Mon âme se rebella. Car même si je le méprisais, je ne

pouvais me détourner du spectacle qui s'offrait à moi. Mes yeux parcoururent l'église. Je vis pour la première fois les démons émaciés aux crocs sataniques dressés sur leurs piédestaux entre les étroites ouvertures, et partout l'éclat d'une multitude de porte-cierges.

La musique s'interrompit à nouveau pour la déclaration solennelle des ténors :

« Que l'on avance la fontaine afin que ceux qui sont notre sacrifice soient lavés. »

Ce qui fut fait.

Des rangées de jeunes démons déguisés en enfants de chœur s'avancèrent, portant à bout de bras surnaturellement forts une magnifique fontaine baptismale en marbre incarnat de Vérone. Ils la déposèrent à quelque dix pieds de la balustre du chœur.

« Oh, quelle abomination, tant de beauté ! murmurai-je.

— Tout doux, mon jeune ami, dit le garde royal qui se tenait à côté de moi. Observe bien, car ce que tu vois ici, tu ne le reverras jamais entre Ciel et Enfer, et comme tu retourneras à Dieu sans confession, tu brûleras éternellement dans les ténèbres. »

Il avait l'air de croire à ce qu'il disait.

« Vous n'avez pas le pouvoir de damner mon âme », susurrai-je, essayant en vain de dessiller mes yeux, de ne point tant aimer la faiblesse qui m'obligeait toujours à m'appuyer sur eux.

« Ursula, au revoir », murmurai-je, formant un baiser sur mes lèvres.

Mais en cet instant miraculeux et privé, apparemment resté inaperçu de toute la congrégation, je vis sa tête effectuer un discret mouvement de négation.

Personne ne le vit, parce que tous les yeux étaient maintenant tournés vers un autre spectacle, bien plus tragique que les épisodes du rite maîtrisé et modulé auquel nous venions d'assister.

Au bout de la nef, conduit par des démons acolytes en tuniques rouges à manches de dentelles ourlées de rouge et d'or, apparut un misérable échantillon des âmes perdues de la bergerie, de vieilles femmes au pas traînant, des hommes ivres et de petits garçons, à peine des enfants, qui s'accrochaient à ces mêmes démons qui les menaient à leur mort, telles les piteuses victimes de quelque horrible procès antique où les descendants des condamnés sont conduits à l'exécution aux côtés de leurs parents. L'horreur.

« Je vous maudis tous. Malédiction ! Seigneur, inflige ta justice à ceci, murmurai-je. Seigneur, inflige tes larmes. Pleure pour nous, Christ, que pareille chose se produise. »

Mes yeux basculèrent dans leurs orbites. Il me sembla que je rêvais et, une fois de plus, l'infinie prairie vert brillant apparut à mes yeux, et, une fois de plus, tandis qu'Ursula s'enfuyait loin de moi, tandis que sa jeune silhouette animée fendait les hautes herbes et les lis, s'éleva une autre silhouette familière...

« Oui, je te vois ! » lançai-je à cette vision, dans mon rêve à demi sauvé.

Mais sitôt l'avais-je reconnue, m'étais-je fixé sur elle, qu'elle avait disparu ; elle était partie, et étaient partis avec elle toute compréhension d'elle, tout souvenir de son visage exquis, de sa forme et de sa signification, de sa pure et puissante signification. Les mots me fuyaient.

En contrebas, je vis le seigneur Florian lever les yeux, agacé, silencieux. Les mains qui me tenaient s'enfoncèrent dans ma chair.

« Silence », me dirent les gardes, leurs ordres se bousculant.

La belle musique s'éleva de plus en plus haut, comme si les sopranos ascendantes et les cors époumonés voulaient me faire taire et ne rendre hommage qu'au baptême impie.

Le baptême avait commencé. La première victime, une vieille femme osseuse au dos courbé, avait été dépouillée de ses guenilles et lavée avec des poignées d'eau dans la fontaine, et on la conduisait à présent à la balustre du chœur, oh ! si frêle, si peu protégée par sa parentèle et ses anges gardiens !

Oh ! et voir maintenant les enfants dénudés, voir leurs petites jambes et leurs fesses à l'air, voir leurs épaules osseuses, ces parties minuscules où il semblait que les ailes miniatures de bébés anges poussaient autrefois sur leur dos, les voir lavés puis abandonnés tremblants devant l'étendue de la balustrade de marbre.

Cela se passa très vite.

« Maudits animaux, car voilà ce que vous êtes, et non des démons aériens, non ! marmonnai-je, luttant contre l'étreinte des deux abominables larbins. Oui, lâches larbins que vous êtes de prendre part à ce mal. »

La musique submergea mes prières. « Cher Seigneur, envoie-moi tes anges, dis-je à mon cœur, mon cœur secret, envoie mes anges courroucés, envoie-les avec ton épée enflammée. Seigneur, ceci n'est pas tolérable. »

La balustre du chœur avait maintenant son lot complet de victimes, toutes nues et tremblantes, et resplendissantes de carnation humaine à côté du marbre lumineux et des prêtres incolores.

Les cierges vacillèrent sur le Lucifer géant, aux grandes ailes palmées, qui présidait à toute la cérémonie.

Le seigneur Florian s'avança alors pour prendre le premier communiant dans ses mains, et ouvrit ses lèvres pour boire.

Les tambours battaient sauvagement et doucement, et les voix serpentaient et s'élevaient vers le Ciel. Mais il n'y avait pas de Ciel ici, sous ces colonnes blanches ramifiées et ces arcs brisés. Il n'y avait rien d'autre que la mort.

Toute la Cour avait commencé à former deux files le long des côtés de la chapelle, avançant silencieusement jusqu'à la balustre du chœur où chacun pouvait prendre une victime parmi celles qui attendaient, impuissantes. À présent, seigneurs et dames choisissaient celle qu'ils désiraient, et certains partageaient, se passant une victime de main en main. Voilà comment se déroulait cette parodie, cette communion effroyable, carnassière.

Seule Ursula ne bougeait pas.

Les communiants mouraient. Certains étaient déjà morts. Aucun ne tombait à terre. Les démons en surplis se saisissaient silencieusement et habilement de leurs membres flexibles et desséchés, et emportaient leurs corps.

On lavait de nouvelles victimes. On en amenait d'autres à la balustre. Le manège continuait.

Le seigneur Florian suçait et suçait, un enfant après l'autre que l'on déposait devant lui, ses doigts fuselés saisissant le petit cou et le maintenant tandis qu'il retroussait les lèvres.

Je me demande quels mots latins il osait prononcer.

Lentement, les membres de la Cour quittaient le sanctuaire, remontant les nefs latérales avant de se retourner pour reprendre leur ancienne position. Ils avaient eu leur content.

Partout, la couleur du sang infusait des visages autrefois livides, et il semblait à ma vue embrumée, à ma tête si pleine de la beauté des chants, qu'ils étaient tous humains à présent, humains pour ce bref instant.

« Oui, dit Florian, sa voix portant doucement et fermement jusqu'à mes oreilles par-dessus toute la longueur de la nef centrale. Humains à présent, en cet instant, avec le sang des vivants, incarnés à nouveau nous sommes, jeune prince. Tu l'as compris.

— Ah, mais, seigneur, dis-je en un murmure épuisé. Je ne le pardonne pas. »

Un temps de silence s'abattit. Puis les ténors proclamèrent :

« Il est temps, et l'heure de minuit n'est pas achevée. »

Les mains implacables qui me tenaient me tournèrent alors vers le côté. Je fus escamoté de la galerie du chœur et emporté par un escalier en colimaçon de marbre blanc.

Quand je revins à moi, toujours soutenu, contemplant la nef centrale, je vis que seule subsistait la fontaine baptismale. Toutes les victimes avaient disparu.

Mais une grande croix avait été apportée là. Elle avait été dressée *à l'envers*, à côté de l'autel, devant la balustre du chœur.

Le seigneur Florian me présenta les cinq énormes clous qu'il tenait à la main et me fit signe d'approcher.

La croix fut insérée dans son logement, comme si elle avait souvent été mise là. Elle était faite d'un riche bois dur, épais, lourd et poli, bien qu'elle portât les marques d'autres clous, et sans nul doute les taches d'autres sangs.

Sa base s'emboîtait très précisément dans la balustre de marbre, si bien que le crucifié se trouvait trois pieds au-dessus du sol, visible de tous les fidèles.

« Vous, fidèles ? canailles que vous êtes ! » J'éclatai de rire. Grâce en soit rendue à Dieu et à tous ses anges, les yeux de mon père et de ma mère étaient emplis de lumière céleste et ne pouvaient rien voir de cette grossière dépravation.

L'Ancien me présenta au bout de ses mains tendues deux gobelets d'or.

J'en connaissais la destination : recueillir le sang au moment où il jaillirait des blessures infligées par les clous.

Il inclina la tête.

Je fus emmené en haut de la nef. La statue de Lucifer devint immense derrière la scintillante silhouette pontificale de Florian. Mes pieds ne touchaient pas le marbre. Tout autour de moi, les membres de la Cour se tournaient pour suivre mon avancée, mais jamais jusqu'au point que leurs yeux dépassassent leur seigneur.

Devant les fonts baptismaux, on me lava le visage.

Je secouai la tête, tordant le cou, aspergeant impudemment ceux qui essayaient de me laver. Les acolytes avaient peur de moi. Ils approchaient et tendaient une main hésitante vers mes boucles.

« Déshabillez-le », dit le seigneur, et, de nouveau, il me présenta les clous.

« Je vois très bien, mon lâche seigneur, dis-je. C'est facile de crucifier un enfant comme moi. Sauvez votre âme, seigneur, faites cela ! Et votre cour s'émerveillera. »

La musique enfla depuis la galerie. Le chœur revint, répondant, en les soulignant, aux hymnes des ténors.

Il n'y avait plus de mots pour moi à présent ; il n'y avait que la lumière des cierges et la certitude que j'allais être dépouillé de mes vêtements et que cette horreur allait avoir lieu, cette infâme crucifixion à l'envers, jamais sanctifiée par saint Pierre lui-même, pour que la croix inversée ne soit pas maintenant un symbole du Malin.

Soudain les mains tremblantes des acolytes reculèrent.

Au-dessus, les cors jouèrent leur plus belle mélodie, la plus poignante.

Les ténors lancèrent leur question, d'une voix sans défauts, depuis la galerie :

« Celui-ci ne peut-il être sauvé ? Celui-ci ne peut-il être délivré ? »

Le chœur s'éleva, à l'unisson :

« Celui-ci ne peut-il être libéré du pouvoir de Satan ? »

Ursula s'avança, défit l'immense et long voile rouge qui pendait jusqu'à ses pieds et le jeta si bien qu'il descendit comme un nuage de rouge autour d'elle. Un acolyte apparut à ses côtés avec mon épée à la main, et mes dagues.

Une fois de plus les voix de ténors implorèrent :

« Une âme libérée pour aller dans le monde, folle, et témoigner aux oreilles les plus patientes seulement de la puissance de Satan. »

Le chœur chanta, explosant en une débauche de mélodie, et il me sembla qu'une vive affirmation s'était emparée de leur chant.

« Quoi ? ne pas mourir ! » m'exclamai-je. Je m'efforçai de voir le visage du seigneur entre les mains duquel tout cela reposait. Mais ma vue était bouchée.

Godric, l'Ancien, s'était interposé. Ouvrant le portail de la balustre en marbre du chœur de son genou, il s'avança vers moi dans la nef. Il porta l'un de ses gobelets d'or à mes lèvres.

« Bois et oublie, Vittorio, sinon nous la perdrons cœur et âme.

— Oh, mais perdez-la alors !

— Non ! cria-t-elle. Non. » Par-dessus l'épaule de l'Ancien, je la vis arracher trois clous de la main gauche de Florian et les jeter au sol. Le chant s'éleva, haut et riche, sous les arches. Je n'entendis pas les clous heurter le marbre.

Le ton du chœur était jubilatoire, festif. Les accents funèbres du requiem avaient disparu.

« Non, Seigneur Dieu, si Tu veux sauver son âme, alors prends-moi sur la croix, prends-moi ! »

Mais le gobelet d'or fut introduit de force entre mes lèvres. Mes mâchoires furent desserrées par les mains d'Ursula et le liquide versé dans ma gorge. Avant de fermer les yeux, je vis mon épée brandie comme si elle était une croix, sa longue poignée, les deux branches de sa garde.

Un doux rire moqueur s'éleva et se mêla à la beauté magique et indescriptible du chœur.

Le voile d'Ursula tourbillonna autour de moi. Je vis s'élever le tissu rouge. Je le sentis retomber autour de moi en une averse ensorcelante, plein de son parfum, doux de sa tendresse.

« Ursula, viens avec moi », murmurai-je.

Ce furent mes dernières paroles.

« Renvoyé, lancèrent les voix qui enflaient au-dessus de moi. Renvoyé », lança le chœur énorme, et il me sembla que la Cour chantait avec le chœur. « Renvoyé », et mes yeux se fermèrent tandis que le tissu rouge couvrait mon visage, tandis qu'il s'abattait comme une toile de sorcière sur mes doigts en lutte et se scellait sur ma bouche ouverte.

Les cors claironnèrent la vérité. « Pardonné ! Renvoyé ! » chantaient les voix.

« Renvoyé à la folie, murmura Godric à mon oreille. À l'éternelle folie, quand tu aurais pu être l'un des nôtres.

— Oui, l'un des nôtres, prononça le doux murmure imperturbable de Florian.

— Idiot que tu es, dit Godric. Tu aurais pu être immortel.

— L'un des nôtres à tout jamais, immortel, impérissable, pour régner ici dans la gloire, dit Florian.

— L'immortalité ou la mort, dit Godric. C'était un choix royal, mais tu devras errer de par le monde en idiot rejeté de tous.

— Oui, en idiot rejeté de tous », fit une voix d'enfant à mon oreille. Puis une autre : « En idiot rejeté de tous.

— En idiot rejeté de tous », dit Florian.

Mais le chœur continuait de chanter, oblitérant tout le mordant de leurs paroles, son cantique délirant enflant toujours plus démesurément dans mon demi-sommeil.

« Un demeuré errant de par le monde dans le mépris », dit Godric.

Aveuglé, scellé dans la douceur du voile, enivré par la boisson, je ne pouvais leur répondre. Je crois que je souriais. Leurs paroles étaient trop absurdement entremêlées avec les magnifiques voix apaisantes du chœur. Et, idiots qu'ils étaient, ils n'avaient jamais su que ce qu'ils disaient n'avait tout simplement jamais compté.

« Et tu aurais pu être notre jeune prince. » Était-ce Florian à mon côté ? Le tranquille et intrépide Florian. « Nous aurions pu t'aimer comme elle t'aime.

— Un jeune prince, dit Godric, pour régner ici avec nous éternellement.

— Devenir le bouffon des alchimistes et des vieilles femmes, dit Florian, tristement, solennellement.

— Oui, fit une voix d'enfant, idiot de nous quitter. »

Combien étaient merveilleux les hymnes qui faisaient de leurs paroles de simples syllabes douces et contrapuntiques.

Je crois que je sentis son baiser à travers la soie. Je crois que je le sentis. Je crois. Il me sembla que, dans le plus mince des murmures féminins, elle me dit simplement, sans cérémonie :

« Mon amour. » Son triomphe et son adieu y étaient contenus.

Sombrant, sombrant, sombrant dans le plus riche, le plus tendre sommeil que Dieu puisse donner, je m'enfonçai. La musique donnait une forme à mes membres, donnait de l'air à mes poumons, quand tous les autres sens avaient été abandonnés.

9

LES ANGES DONT NOUS AVONS
ENTENDU PARLER AU CIEL

Il pleuvait à verse. Non, la pluie avait cessé. Ils n'arrivaient toujours pas à me comprendre.

J'étais entouré par ces hommes. Nous étions tout près de l'atelier de Fra Filippo. Je connaissais cette rue. J'étais venu ici avec mon père il n'y avait pas un an.

« Parlez plus lentement, disait l'un. Corr... blub, ça ne veut rien dire !

— Écoutez, disait l'autre. Nous voulons vous aider. Dites-moi le nom de votre père. Dites-le lentement. »

Ils secouèrent la tête. Il me semblait que j'étais parfaitement intelligible, je m'entendais dire : Lorenzo di Raniari, pourquoi ne l'entendaient-ils pas ? Et j'étais son fils, Vittorio di Raniari. Mais je sentais mes lèvres tout enflées. Je savais que j'étais dégoulinant de pluie.

« Écoutez, amenez-moi à l'atelier de Fra Filippo. Je les connais là-bas », dis-je. Mon grand peintre, mon peintre passionné et tourmenté, ses apprentis me reconnaîtraient. Lui non, mais les aides qui m'avaient vu pleurer ce jour-là devant son œuvre. Et puis, ensuite, ces hommes m'emmèneraient à la maison de Cosme, dans la Via del Largo.

« Fi, fi ? » demandaient-ils. Ils répétaient mes maladroits essais pour parler. J'avais encore échoué.

Je me dirigeai vers l'atelier. Je titubai et manquai tomber. C'étaient des hommes honnêtes. Je portais les lourdes sacoches sur mon épaule droite, et mon épée cliquetait à mon flanc, me déséquilibrant presque. Les hauts murs de Florence m'étouffaient. Je faillis heurter le pavé.

« Cosme ! hurlai-je à pleine voix.

— Nous ne pouvons vous mener à Cosme ainsi ! Cosme ne vous recevra pas.

— Ah ! vous comprenez ; vous m'avez entendu. »

Mais l'homme porta la main à son oreille. Un brave marchand, trempé jusqu'à l'os dans sa robe vert sombre, et cela à cause de moi, sans aucun doute. Je refusais de me mettre à l'abri de la pluie. Aucun sens. Ils m'avaient trouvé gisant sous la pluie au beau milieu de la Piazza della Signoria.

« Cela revient, cela devient clair. »

Je vis l'entrée de l'atelier de Fra Filippo un peu plus loin. On retirait les volets. Ils rouvraient maintenant que cet orage plein de tonnerre était passé, et l'eau séchait sur le pavé des rues. Les gens ressortaient.

« Ces hommes ici, criai-je.

— Quoi, que dites-vous ? »

Haussements d'épaules chez tous, mais ils m'aidèrent. Un vieil homme me tenait par le coude.

« Nous devrions l'emmener à Saint-Marc, le confier aux soins des moines.

— Non, non, non, je dois parler à Cosme ! » hurlai-je.

À nouveau, ils haussèrent les épaules en secouant la tête.

Soudain, je m'arrêtai. J'oscillai sur moi-même et assurai mon équilibre en empoignant sans gêne le bras du plus jeune.

Je contemplai le lointain atelier.

La rue n'était guère plus qu'une ruelle à cet endroit, à peine suffisante pour laisser passer des chevaux sans que les piétons fussent blessés, et les façades de pierre semblaient boucher le ciel d'ardoise à la verticale. Des fenêtres étaient ouvertes, et il semblait qu'au dernier étage une femme pût toucher la façade opposée en tendant le bras.

Mais voyez qui était là, juste devant la boutique.

Je les vis. Je les vis tous les deux ! « Regardez, dis-je à nouveau. Ne les voyez-vous pas ? »

Les hommes ne voyaient pas. Seigneur, les deux personnages qui se tenaient devant l'atelier étaient aussi brillants que s'ils étaient illuminés de l'intérieur de leur peau rougeoyante et de leurs robes flottantes !

Je fis passer mes fontes sur mon épaule gauche et mis la main à mon épée. Je tenais debout, mais mes yeux devaient être larges comme des soucoupes tandis qu'ils fixaient aveuglément ce que je contemplais.

Les deux anges se disputaient. Agitant imperceptiblement leurs ailes au rythme de leurs paroles et de leurs gestes, les deux anges se disputaient juste devant l'atelier.

Ils ne prêtaient aucune attention aux hommes qui passaient devant eux et ne les voyaient pas, et ils se disputaient, tous deux blonds, tous deux bien connus de moi. Je connaissais ces anges, je les connaissais par la peinture de Fra Filippo, et j'entendais leurs voix.

Je connaissais les boucles en volutes de l'un, dont la tête était couronnée d'une guirlande de petites fleurettes parfaitement assorties, son ample manteau cramoisi, son vêtement d'un bleu ciel brillant orné d'or.

Et l'autre, je le connaissais aussi, je connaissais sa tête nue et ses cheveux plus courts, son col doré, l'insigne sur son manteau, et ses larges manchettes ornementées.

Mais, surtout, je connaissais leurs visages, leurs innocents visages nuancés de rose, leurs yeux sereins, pleins et étroits pourtant.

La lumière fondait, sombre et encore orageuse, bien que le soleil flambât là-haut derrière ce ciel gris. Des larmes perlèrent à mes yeux.

« Regardez leurs ailes », murmurai-je.

Les hommes ne voyaient pas.

« Je connais ces ailes. Je les connais tous les deux. Regardez, l'ange aux cheveux blonds, avec des frisettes qui courent le long de son front, il vient de l'*Annonciation*, et les ailes, ses ailes sont faites comme la queue d'un paon, d'un noir ocellé, et l'autre, ses plumes sont trempées dans la poussière d'or la plus pure. »

L'ange à la couronne de fleurs gesticulait avec animation en direction de l'autre ; de la part d'un mortel, ses gestes, son attitude, auraient manifesté la colère, mais il n'y avait là rien d'aussi enflammé. L'ange cherchait seulement à se faire comprendre.

Je m'avançai lentement, me détachant de mes compagnons secourables qui ne voyaient pas ce que je voyais !

Que pensaient-ils que je contemplais ? L'atelier béant, les apprentis plongés dans l'ombre de l'intérieur, les faibles aperçus à demi colorés des toiles et des panneaux, la bouche béante derrière laquelle le travail s'accomplissait.

L'autre ange secoua la tête, l'air sombre. « Je ne suis pas d'accord, dit-il de la voix la plus sereine et mélodieuse qui fût. Nous ne pouvons pas aller aussi loin. Crois-tu que cela ne me fasse pas pleurer ?

— Quoi ? m'écriai-je. Qu'est-ce qui te fait pleurer ? »

Les deux anges se retournèrent. Ils me dévisagèrent. D'un même élan ils serrèrent leurs ailes sombres, multicolores et ocellées contre leur corps, comme s'ils entendaient par là se fondre dans l'invisibilité, mais ils n'en étaient pas moins visibles pour moi, luisants, tous deux si blonds, si reconnaissables. Leurs yeux étaient pleins d'émerveillement tandis qu'ils me contemplaient. Émerveillement à ma vue ?

« Gabriel ! » lançai-je. Je tendis le doigt vers lui. « Je te connais, je te connais par l'*Annonciation*. Vous êtes tous deux Gabriel, je connais les tableaux. Je vous ai vus, Gabriel et Gabriel, comment se peut-il ?

— Il nous voit », dit l'ange qui avait gesticulé de manière si significative. Sa voix était étouffée, mais elle sembla parvenir à mes oreilles doucement et sans effort. « Il nous entend », dit-il, et l'émerveillement s'accrut sur son visage. Il semblait avant tout innocent et patient, et infiniment préoccupé.

« Que dites-vous, mon garçon, au nom de Dieu ? demanda le vieil homme qui se tenait à côté de moi. Reprenez vos esprits, maintenant. Vous portez une fortune dans vos sacoches. Vos mains sont couvertes de bagues. Exprimez-vous raisonnablement. Je vous ramènerais auprès de votre famille si seulement vous vouliez bien me dire son nom. »

Je souris. Je hochai la tête, mais je gardai les yeux rivés sur les deux anges surpris et perplexes. Leurs habits semblaient légers, presque translucides, comme si le tissu n'était pas plus naturel que ne l'était leur peau incandescente. Leur maquillage était plus atténué, et finement haché de lumière.

Êtres d'air, d'intention, faits de présence et de ce qu'ils font — étaient-ce les mots de Thomas d'Aquin qui me revenaient, la *Summa theologiae* dans laquelle j'avais appris mon latin ?

Oh, comme ils étaient miraculeusement beaux, et si sûrement séparés de tout, paralysés au milieu de la rue dans leur simplicité éberluée, méditant, tandis qu'ils me contemplaient avec compassion et intérêt.

L'un d'eux, celui qui était couronné de fleurs, celui qui avait les manches bleu ciel, celui qui m'avait fait chavirer le cœur quand je l'avais vu dans l'*Annonciation* en compagnie de mon père, celui dont j'étais tombé amoureux, s'approcha de moi.

Il grossit en avançant, devint plus grand, légèrement plus grand dans toutes ses dimensions qu'un être ordinaire, et si plein d'amour dans le bruissement presque inaudible de ses vêtements qui flottaient, lâches, gracieux, qu'il en semblait plus immatériel et monumental, exprimer exactement même la création divine, mieux que n'aurait pu le faire aucune créature de chair et de sang.

Il secoua la tête et sourit. « Non, car tu es toi-même un sommet de la création divine », dit-il d'une voix de basse qui se fraya un chemin parmi le bavardage qui m'entourait.

Il marchait comme s'il était un être mortel, foulant de ses pieds nus immaculés les pavés humides et sales de la rue florentine, ignorant les hommes qui ne pouvaient le voir tandis qu'il se tenait maintenant tout près de moi, déployant ses ailes puis les repliant à nouveau, si bien que je ne vis plus que leur haut plumage au-dessus de ses épaules, tombantes comme celles d'un jeune enfant.

Son visage était luisant de propreté et inondé de toutes les couleurs rayonnantes que Fra Filippo avait peintes. Quand il sourit, je sentis mon corps trembler tout entier d'une joie sans mélange.

« Est-ce ma folie, archange ? demandai-je. Est-ce là leur malédiction réalisée, que je voie ceci en même temps que je bafouille et encours le mépris des hommes instruits ? » J'éclatai d'un rire sonore.

Je fis sursauter les messieurs qui s'étaient si bien dépensés pour essayer de me secourir. Ils étaient complètement démontés. « Quoi ? Parler encore ? »

Mais, en un éclair chatoyant, un souvenir fondit sur moi, illuminant d'un seul coup mon cœur, mon âme et mon esprit, comme si le soleil lui-même avait inondé une cellule obscure et sans espoir.

« C'est toi que j'ai vu dans la prairie, toi que j'ai vu quand elle a bu mon sang. »

Il plongea son regard dans mes yeux, cet ange tranquille et serein, avec ses rangées de boucles blondes immaculées et ses joues lisses et placides.

« Gabriel, l'archange », dis-je avec vénération. Les larmes inondèrent mes yeux, et c'était comme de chanter pour pleurer.

« Mon garçon, mon pauvre garçon misérable, dit le vieux marchand. Il n'y a pas d'ange devant vous. Écoutez-moi maintenant, s'il vous plaît. »

« Ils ne peuvent pas nous voir », me dit simplement l'ange. Il eut à nouveau son sourire tranquille. Ses yeux attrapèrent la lumière tombant des cieux qui s'éclaircissaient à présent tandis qu'il me sondait du regard, comme s'il y voyait plus profond à chaque instant de son examen.

« Je sais, répondis-je. Ils ne savent pas !

— Mais je ne suis pas Gabriel, tu ne dois pas m'appeler ainsi, me dit-il d'un ton très courtois et apaisant. Mon jeune ami, je suis bien loin d'être l'archange Gabriel. Je m'appelle Setheus, et je ne suis qu'un ange gardien. » Il était si patient avec moi, si patient devant mes larmes et dans le rassemblement des mortels, aveugles et préoccupés, qui nous entouraient.

Il se tenait assez près de moi pour que je pusse le toucher, mais je n'osai pas le faire.

« Mon ange gardien ? demandai-je. Est-ce vrai ?

— Non, répondit l'ange. Je ne suis pas ton ange gardien. Ceux-là, tu devras les trouver toi-même. Tu as vu les anges gardiens d'un autre, bien que je ne sache ni pourquoi ni comment. »

« Ne priez pas maintenant, dit le vieil homme avec humeur. Dites-nous qui vous êtes, mon garçon. Vous avez prononcé un nom, celui de votre père, dites-le-nous. »

L'autre ange, qui était resté immobile comme s'il était trop abasourdi pour bouger, sortit soudain de sa réserve et s'avança lui aussi du même pas silencieux de ses pieds nus, comme si ni les pavés aux arêtes vives, ni l'humidité, ni la saleté ne pouvaient le souiller ni le blesser.

« Ceci peut-il être bon, Setheus ? » demanda-t-il. Mais ses yeux pâles et iridescents étaient rivés sur moi avec la même attention aimante, le même intérêt passionné et clément.

« Et toi, tu es dans l'autre tableau, je te connais aussi, je t'aime de tout mon cœur », dis-je.

« Fils, à qui parlez-vous ? demanda le plus jeune des deux hommes. Qui aimez-vous de tout votre cœur ?

— Ah, vous m'entendez ? » Je me tournai vers l'homme. « Vous me comprenez.

— Oui, dites-moi votre nom maintenant.

— Vittorio di Raniari, dis-je, ami et allié des Médicis, fils de Lorenzo di Raniari, Castello Raniari dans le nord de la Toscane, et mon père est mort, comme tous mes parents. Mais... »

Les deux anges se tenaient juste devant moi, ensemble, la tête inclinée l'un vers l'autre tandis qu'ils me regardaient, et il semblait que les mortels, malgré tout leur aveuglement, ne pussent boucher la vue des anges ni s'interposer entre eux et moi. Si seulement je trouvais le courage ! J'avais tellement envie de les toucher !

Les ailes de celui qui avait parlé en premier s'élevaient, et un doux chatoiement de poussière d'or paraissait tomber des plumes réveillées, des plumes tremblantes et étincelantes, mais rien n'égalait le visage méditatif et perplexe de l'ange.

« Laisse-les t'emmener à San Marco, dit cet ange, celui

qui s'appelait Setheus, laisse-les t'emmener. Ces hommes veulent t'aider. On te donnera une cellule et les moines s'occuperont de toi. Tu ne pourrais trouver meilleur lieu, car c'est une maison placée sous la protection de Cosme, et tu sais que Fra Giovanni a décoré la cellule dans laquelle tu séjourneras.

— Setheus, il sait tout cela, dit l'autre ange.

— Oui, mais je le rassure », dit le premier ange avec un imperceptible haussement d'épaules, considérant son compagnon avec perplexité. Rien ne caractérisait tant leurs visages que l'émerveillement contenu.

« Mais toi, Setheus, si je puis me permettre de t'appeler par ton nom, tu les laisserais m'emmener loin de toi ? Tu ne peux pas. Ne me quitte pas, s'il te plaît. Je t'en conjure. Ne me quitte pas.

— Nous devons te quitter, dit l'autre ange. Nous ne sommes pas tes gardiens. Pourquoi ne vois-tu pas tes propres anges ?

— Attends, je sais ton nom. Je l'entends.

— Non », dit cet ange plus réservé, en agitant son doigt devant moi comme s'il réprimandait un enfant.

Mais on ne pouvait plus m'arrêter. « Je sais ton nom. Je l'ai entendu quand vous vous disputiez, et je l'entends maintenant quand je regarde ton visage. Ramiel, voilà ton nom. Et vous êtes tous deux les anges gardiens de Fra Filippo.

— C'est une catastrophe ! murmura Ramiel, avec l'air de désarroi le plus touchant qui fût. Comment cela a-t-il pu arriver ? »

Setheus se contenta de secouer la tête, et sourit de nouveau généreusement. « Ce devait être pour le bien, certainement. Nous devons l'accompagner. Bien sûr que nous le devons.

— Maintenant ? Partir maintenant ? » demanda Ramiel, et, là encore, malgré toute son insistance, il n'y avait nulle colère. On aurait dit que leurs pensées étaient purifiées de toutes les émotions les plus basses, et bien sûr qu'il en était ainsi, parfaitement.

Setheus se pencha tout près du vieil homme, qui ne pouvait bien sûr ni le voir ni l'entendre, et il lui glissa dans l'oreille :

« Emmenez le garçon à San Marco ; faites-le placer dans une belle cellule, car il a de l'argent à foison, et qu'il soit bien soigné. »

Puis il me regarda. « Nous t'accompagnons.

— Nous ne pouvons faire cela, dit Ramiel. Nous ne pouvons abandonner notre protégé ; comment pourrions-nous faire une chose pareille sans permission ?

— Il doit en être ainsi. Ceci est une permission. Je sais que c'en est une, répondit Setheus. Tu ne vois pas ce qui s'est passé ? Il nous a vus et il nous a entendus, et il a saisi ton nom et il aurait saisi le mien si je ne le lui avais révélé. Pauvre Vittorio, nous sommes avec toi. »

Je hochai la tête, au bord des larmes d'entendre prononcer mon nom. La rue tout entière était devenue terne, sourde et indistincte autour de leurs imposantes silhouettes tranquilles et empourprées, la lumière ténue de leurs vêtements tournoyant comme si le tissu céleste était sujet à des courants d'air invisibles que les hommes ne ressentaient pas.

« Ce ne sont pas nos véritables noms ! » me lança Ramiel d'un ton grondeur, mais gentiment, comme l'on gronderait un enfant.

Setheus sourit. « Ce sont d'excellents noms, auxquels nous répondons, Vittorio », dit-il.

« Oui, emmenons-le à San Marco, dit l'homme qui était à côté de moi. Allons-y. Confions-le aux moines. »

Les hommes m'entraînèrent vers le débouché de la rue.

« Tu seras entre d'excellentes mains à San Marco », me dit Ramiel, comme s'il prenait congé de moi, mais les deux anges nous accompagnèrent, suivant quelques pas à peine derrière nous.

« Ne me quittez pas, ni l'un ni l'autre, vous ne pouvez pas ! » dis-je aux anges.

Ils semblèrent déconcertés, dans leurs robes arachnéennes merveilleusement plissées que la pluie n'avait pas tachées, aux ourlets propres et luisants comme s'ils n'avaient pas touché la rue, tandis que leurs pieds nus semblaient si délicieusement délicats sur le pavé.

« Très bien, dit Setheus. Ne t'inquiète pas tant, Vittorio. Nous venons.

— Nous ne pouvons abandonner ainsi notre protégé pour un autre homme, nous ne pouvons pas, continuait de protester Ramiel.

— C'est la volonté de Dieu ; comment pourrait-il en être autrement ?

— Et Mastema ? Ne devons-nous pas demander à Mastema ? demanda Ramiel.

— Pourquoi devrions-nous demander à Mastema ? Pourquoi déranger Mastema ? Mastema doit savoir. »

Et voilà qu'ils se disputaient de nouveau, derrière nous, tandis que j'étais entraîné le long de la rue.

Le ciel d'acier miroitait, puis il pâlit et céda la place au bleu au moment où nous débouchions sur une piazza ouverte. Le soleil me surprit et me rendit malade. Et pourtant, comme je le désirais, comme j'aspirais à le sentir ! Mais il me blessait et semblait me punir tel un fouet.

Nous n'étions guère loin de San Marco. Mes jambes ne tarderaient pas à me trahir. Je ne cessais de regarder par-dessus mon épaule.

Les deux silhouettes chatoyantes et dorées suivaient, silencieuses, Setheus me faisant signe d'aller de l'avant.

« Nous sommes là, nous t'accompagnons, dit Setheus.

— Je ne sais pas ce que nous faisons. Je ne sais pas ! dit Ramiel. Filippo n'a jamais été dans un tel pétrin, il n'a jamais été soumis à pareille tentation, pareille indignité...

— Ce qui est la raison pour laquelle nous avons maintenant été retirés, afin que nous n'interférions pas dans ce qui doit advenir à Filippo. Nous savons que nous étions sur le point de nous mettre dans de beaux draps à cause de Filippo et de ce qu'il vient de faire. Oh, Filippo, je vois ceci, je vois le grand dessein. »

« De quoi parlent-ils ? demandai-je aux hommes. Ils parlent de quelque chose qui serait arrivé à Fra Filippo.

— Et qui est-ce donc qui parlerait, puis-je savoir ? »

demanda le vieil homme en secouant la tête devant moi,
jeune aliéné dont il avait pris la charge, avec l'épée qui lui
battait les flancs.

« Mon garçon, restez tranquille maintenant, dit l'autre
homme qui soutenait l'essentiel de mon poids. Nous ne vous
comprenons que trop bien à présent, et ce que vous dites
est plus incohérent que jamais, puisque vous parlez à des
gens que personne ne voit ni n'entend.

— Fra Filippo, le peintre, que lui arrive-t-il ? demandai-
je. Il a des ennuis. »

« Oh, c'est insupportable, dit l'ange Ramiel dans mon
dos. Il est inimaginable que pareille chose arrive. Et si tu
me le demandes, ce que personne n'a fait ni ne fera, je pense
que si Florence était en guerre avec Venise, Cosme de Médicis protégerait son peintre.

— Mais le protéger de quoi ? » demandai-je.

Je sondai le regard du vieil homme.

« Fils, obéissez-moi, dit-il. Marchez droit et cessez de me
heurter avec cette épée. Vous êtes un grand signore, je le
vois bien. Le nom des Raniari résonne puissamment à mes
oreilles depuis les lointaines montagnes de Toscane, et l'or
de votre seule main droite pèse plus lourd que les dots
jointes de mes deux filles, sans parler des pierres précieuses,
mais ne me criez pas en plein visage.

— Je suis désolé. Je ne voulais pas. Il y a seulement que
les anges ne veulent rien dire de précis. »

L'autre homme qui me conduisait si gentiment, qui m'aidait honnêtement à porter les fontes contenant toute ma
fortune sans même chercher à rien me voler, prit alors la
parole :

« Si vous parlez de Fra Filippo, il a de nouveau de graves
ennuis. Il est soumis à la torture. Il est sur le chevalet.

— Non, cela n'est pas possible, pas Filippo Lippi ! » Je
m'immobilisai et m'écriai : « Qui ferait une chose pareille
au grand peintre ? »

Je me retournai et les deux anges se couvrirent soudain
le visage, aussi tendrement qu'Ursula avait jamais couvert le
sien, puis ils se mirent à pleurer. Sauf que leurs larmes

étaient merveilleusement claires et cristallines. Ils se contentaient de me regarder. Oh ! Ursula, pensai-je soudain avec une douleur insupportable, comme ces créatures sont belles, et dans quel tombeau dors-tu sous la cour du Graal rubis pour ne pas les voir, ne pas voir leur marche silencieuse et secrète à travers les rues de la ville ?

« C'est vrai, dit Ramiel. C'est, hélas, la terrible vérité. Qu'avons-nous été, quelle sorte de gardiens, pour qu'il soit si querelleur et menteur, et pourquoi avons-nous été aussi impuissants ?

— Nous ne sommes que des anges, dit Setheus. Ramiel, nous ne devons pas accuser Filippo. Nous ne sommes pas accusateurs, nous sommes des gardiens, et pour l'amour de ce garçon qui l'aime, ne dis pas des choses pareilles. »

« Ils ne peuvent pas torturer Filippo Lippi ! m'écriai-je. Qui a-t-il trompé ?

— Il l'a bien cherché, dit le vieil homme. Il s'agit d'une escroquerie, cette fois. Il a vendu une commande, et tout le monde sait qu'un de ses apprentis a peint une trop grande part de l'œuvre. Il a été mis sur le chevalet, mais il n'a pas été réellement blessé.

— Pas réellement blessé ! Il est tout simplement sublime ! dis-je. Vous me dites qu'il a été torturé. Pourquoi a-t-il été torturé ? Comment peut-on justifier une telle stupidité, une telle insulte ? C'est une insulte aux Médicis !

— Silence, mon enfant ; il a avoué, dit le plus jeune des deux mortels. C'est presque fini. Un sacré moine, Fra Filippo Lippi, si vous voulez mon avis ; quand il ne court pas après les femmes, il déclenche une bagarre. »

Nous étions arrivés à San Marco. Nous nous tenions sur la piazza San Marco, juste devant les portes du monastère, qui étaient de plain-pied avec la rue, comme c'était le cas de tous les bâtiments de ce genre à Florence, comme si l'Arno ne sortait jamais de son lit, ce qu'il faisait pourtant. Et j'étais heureux, oh, tellement heureux de voir ce havre !

Mais mon esprit était violemment agité. Tous les souvenirs de démons et de meurtres horribles avaient été balayés loin de moi en un instant par l'idée épouvantable que l'artiste que je chérissais le plus au monde avait été mis sur le chevalet comme un criminel ordinaire.

« Il lui arrive parfois... eh bien, dit Ramiel, de se conduire comme un... criminel ordinaire. »

« Il s'en sortira, il paiera une amende », dit le vieil homme. Il sonna la cloche pour appeler les moines. Il me tapota d'une longue main sèche et fatiguée. « Cessez de pleurer maintenant, mon enfant, cessez. Filippo est un fléau, tout le monde le sait. Si seulement il y avait un peu de la sainteté de Fra Giovanni en lui, un tout petit peu ! »

Fra Giovanni. Par ce nom, Fra Giovanni, il désignait bien sûr le grand Fra Angelico, le peintre qui, au cours des siècles à venir, ferait quasiment tomber à genoux devant ses fresques les spectateurs médusés, et c'était dans ce monastère que Fra Giovanni travaillait et peignait, c'était là que, pour Cosme, il peignait les propres cellules des moines.

Que pouvais-je dire ? « Oui, oui, Fra Giovanni, mais je ne... je ne... l'aime pas. » Bien sûr que je l'aimais ; je les respectais, lui et ses œuvres merveilleuses, mais ce n'était pas comme mon amour pour Filippo, le peintre que je n'avais aperçu qu'une seule fois... Comment expliquer ces phénomènes étranges ?

Une vague de nausée m'obligea à me plier en deux. Je m'écartai de mes aimables soutiens et déversai le contenu de mon estomac dans la rue, un sanglant filet de l'ordure dont les démons m'avaient nourri. Je le vis tomber et couler dans la rue. Je sentis son odeur pestilentielle et le vis se répandre dans les interstices entre les pavés, ce mélange à demi digéré de vin et de sang.

Toute l'horreur de la cour du Graal rubis sembla manifeste en cet instant. Le désespoir m'envahit, j'entendis les murmures des démons à mes oreilles, *en idiot rejeté de tous*, et je doutai de tout ce que j'avais vu, de tout ce que j'étais, de tout ce qui s'était passé quelques instants seulement auparavant. Dans une forêt de rêve, mon père et moi chevauchions côte à côte, et nous parlions des peintures de Filippo. J'étais un étudiant et un jeune seigneur, et j'avais le monde entier devant moi, et la saine et puissante odeur des chevaux se mêlait dans mes narines à celle des bois.

En idiot rejeté de tous. Fou quand tu aurais pu être immortel.

Quand je me relevai, je m'adossai au mur du monastère. La lumière du ciel bleu était assez forte pour m'obliger à fermer les yeux, mais je me repaissais de sa chaleur. Lentement, pendant que mon estomac se calmait, j'essayai de fixer mon regard devant moi, pour combattre la douleur de la lumière, et l'aimer, et lui faire confiance.

Mon champ de vision était rempli par le visage de l'ange Setheus, juste devant moi, à un pied seulement, qui m'examinait avec l'attention la plus inquiète.

« Seigneur Dieu, tu *es* là, murmurai-je.

— Oui, dit-il. Je te l'ai promis.

— Tu ne vas pas me quitter, n'est-ce pas ? demandai-je.

— Non », répondit-il.

Par-dessus son épaule, Ramiel me dévisageait attentivement, précautionneusement, comme s'il ne m'avait jamais vu auparavant. Ses cheveux plus courts et plus libres lui donnaient l'air plus jeune, bien que de telles distinctions ne fissent pas de différence.

« Non, strictement aucune », murmura-t-il, et, pour la première fois, il sourit lui aussi.

« Fais comme te disent ces gens, dit Ramiel. Laisse-les t'emmener à l'intérieur, dors d'un bon sommeil, et, quand tu te réveilleras, nous serons à tes côtés.

— Oh ! mais c'est une horreur, une histoire d'horreurs, murmurai-je. Filippo n'a jamais peint de telles horreurs.

— Nous ne sommes pas des choses peintes, dit Setheus. Ce que Dieu nous réserve, nous le découvrirons ensemble, Ramiel, toi et moi. Maintenant, tu dois entrer. Les moines sont ici. Nous te remettons entre leurs mains et, quand tu te réveilleras, nous serons à tes côtés.

— Comme la prière, murmurai-je.

— Oh, oui, vraiment », dit Ramiel. Il leva les mains. Je vis l'ombre de ses cinq doigts, puis je sentis leur contact soyeux quand il me ferma les yeux.

10

Où je converse avec les fils de Dieu, les innocents comme les puissants

J'allais dormir, oui, et profondément, mais pas avant plusieurs heures. Ce qui suivit fut un pays merveilleux, brumeux et onirique, d'images protectrices. Je fus emmené par un grand gaillard de moine et ses assistants dans le monastère de San Marco.

Il ne pouvait y avoir de meilleur endroit pour moi dans tout Florence — sinon peut-être la maison de Cosme — que le couvent dominicain de San Marco.

Je connaissais à Florence plus d'un bâtiment exquis et tant de splendeurs que, même alors, encore enfant, je ne pouvais cataloguer dans mon esprit toutes les richesses étalées devant moi.

Mais nulle part il n'y a de cloître plus serein, je pense, que celui de San Marco, qui avait été tout récemment rénové par le très humble et honnête Michelozzo sur l'ordre de Cosme l'Ancien. Il avait une longue et vénérable histoire à Florence, mais venait tout juste d'être confié aux dominicains, et il était doté de manière sublime, comme nul autre monastère ne l'était.

Comme tout Florence le savait, Cosme avait prodigué une fortune à San Marco, peut-être pour se faire pardonner tout l'argent qu'il gagnait par l'usure, car en tant que banquier il collectait des intérêts et était donc un usurier — tout comme nous qui avions placé de l'argent dans sa banque.

Quel que fût le cas, Cosme, notre capo, notre vrai chef, avait adoré ce lieu et lui avait remis de nombreux trésors, et d'abord, peut-être, ses nouveaux bâtiments merveilleusement proportionnés.

Ses détracteurs, les pleurnicheurs, ceux qui n'accomplissent rien de grand et soupçonnent tout ce qui n'est pas dans un état de perpétuel délabrement, disaient de lui : « Il place ses armoiries jusque dans les toilettes des moines. »

Ses armoiries, soit dit en passant, sont un écu avec cinq boules protubérantes, pour lesquelles diverses explications ont été avancées, mais ce que ces ennemis disaient, c'était : Cosme a pendu ses couilles au-dessus des toilettes des moines. Eh ! Ses ennemis eussent été heureux d'avoir de telles toilettes, ou de telles couilles.

Comme il aurait été bien plus astucieux de la part de ces hommes de relever que Cosme en personne passait souvent des jours entiers en méditation dans ce monastère, et que l'ancien prieur, qui était son grand ami et son conseiller, Fra Antonino, était devenu archevêque de Florence.

Ah, voilà pour les ignorants qui continuent, cinq siècles plus tard, à raconter des mensonges sur Cosme !

Tandis que je passais la porte, je me disais : « Au nom du Seigneur, que vais-je dire aux habitants de cette maison de Dieu ? »

Cette pensée n'était pas sitôt sortie de ma tête assoupie et, je le crains, de ma bouche droguée et endormie, que j'entendis Ramiel éclater de rire dans mon oreille.

J'essayai de voir s'il était à mon côté. Mais j'étais de nouveau malade et en pleurs, j'avais des vertiges, et je pus seulement discerner que nous étions entrés dans le plus tranquille et agréable des cloîtres.

Le soleil me brûlait tant les yeux que je ne pouvais pas encore remercier Dieu pour la beauté du jardin qui occupait le centre de ce lieu, mais je voyais très clairement et dans une espèce de douceur les arcades rondes et basses dessinées par Michelozzo, arcades qui créaient de tendres voûtes, humbles et sans couleur, au-dessus de ma tête.

Et la tranquillité atteinte par les simples colonnes, avec leurs petits chapiteaux ioniens à volutes, contribuait aussi à mon sentiment de paix et de sécurité. Michelozzo avait toujours eu un don pour les proportions. Il épanouissait les choses quand il les construisait. Et les loggias, larges et spacieuses, étaient sa marque de fabrique.

Rien ne pourrait effacer de mon souvenir les hautes arches gothiques en pointe de dague de ce château français du Nord, ni les pinacles en dentelles de pierre partout dressés comme un défi au Tout-Puissant. Et même si je savais que je méjugeais cette architecture et ses intentions — car certainement, avant que Florian et sa cour du Graal rubis ne s'en emparassent, elle était née de la dévotion des Français et des Allemands —, je ne pouvais chasser de mon esprit sa vision abhorrée.

Essayant désespérément de ne pas rendre une nouvelle fois tripes et boyaux, je détendis tous mes membres tandis que je considérais cette enceinte florentine.

L'imposant moine, un véritable ours, qui me contemplait avec sa bonté habituelle et invétérée, me fit faire le tour du cloître en me portant dans ses bras robustes tandis que d'autres affluaient dans leurs robes noires et blanches, avec de fins visages rayonnants qui semblaient nous encercler malgré notre rapide mouvement.

Mais ces hommes étaient ce que le monde avait de plus proche des anges à offrir.

Je compris vite — grâce à mes précédentes visites en ce lieu magnifique — que l'on ne m'emmenait pas à l'hospice, où l'on distribuait des médicaments aux malades de Florence, ni à l'asile des pèlerins, qui fourmillait toujours de ceux venus faire des offrandes et prier, mais à l'étage, dans le quartier des cellules des moines.

Dans une hébétude nauséeuse, où sa beauté me serra la gorge, je vis au sommet de l'escalier, étalée sur le mur, la fresque de l'*Annonciation* de Fra Giovanni.

Ma peinture, l'*Annonciation* ! Mon élue, celle qui avait pour moi plus de signification que tout autre motif religieux.

Non, ce n'était pas le génie de mon turbulent Filippo Lippi, certes, mais c'était bien ma peinture, et certainement un présage que nul démon ne peut damner une âme à travers le poison d'un sang imposé.

Le sang d'Ursula t'a-t-il aussi été imposé ? Pensée horrible. Essaie de ne pas te souvenir de ses doigts tendres détachés de toi, pauvre idiot, pauvre idiot enivré, essaie de ne pas te souvenir de ses lèvres et du long baiser de sang poisseux coulant dans ta propre bouche ouverte.

« Regardez ! » m'écriai-je. Je tendais un bras flottant vers la peinture.

« Oui, oui, nous en avons tant », répondit en souriant ce grand ours de moine.

Fra Giovanni en était bien sûr l'auteur. Qui ne l'aurait vu du premier coup d'œil ? En outre, je la connaissais. Et Fra Giovanni — permettez-moi de vous rappeler une fois encore qu'il s'agit de celui qu'on appellerait plus tard Fra Angelico — avait représenté un ange et une Vierge graves, apaisants, tendres mais éminemment simples, humblement agenouillés et dépouillés de tout embellissement, la Visitation elle-même ayant lieu sous des arches rondes, basses, semblables à celles du cloître par lequel nous venions de passer.

Je voulais dire à Setheus et à Ramiel, s'ils étaient toujours avec moi, regardez, les ailes de Gabriel n'ont que de simples bandes de couleur, et regardez comme sa robe retombe en plis symétriques et disciplinés. Je comprenais tout cela, de même que je comprenais la grandeur exubérante de Ramiel et de Setheus, mais je vagissais à nouveau des absurdités.

« Les auréoles, dis-je. Vous deux, où êtes-vous ? Les auréoles au-dessus de vos têtes. Je les ai vues. Je les ai vues dans la rue et sur les peintures. Mais, vous voyez, dans la peinture de Fra Giovanni, l'auréole est plate et entoure le visage peint, un disque dur et doré posé à plat sur la surface de la peinture... »

Les moines s'esclaffèrent. « À qui parlez-vous, jeune signore Vittorio di Raniari ? me demanda l'un d'eux.

— Soyez sage, mon fils, dit le grand moine, sa voix de basse tonitruante me faisant vibrer à travers son large poitrail. Vous êtes entre nos mains attentives. Et vous devez rester silencieux à présent. Regardez, là, c'est notre bibliothèque, vous voyez nos moines au travail ? »

Ils en étaient fiers, n'est-ce pas ? Interrompant notre progression, alors que j'aurais pu vomir partout sur le sol immaculé, le moine se tourna pour me permettre de voir à travers la porte ouverte la longue salle remplie de livres et de moines laborieux, mais ce que je vis aussi, ce fut le plafond voûté de Michelozzo, qui ne s'élevait pas en flèche pour nous quitter, mais se courbait amoureusement au-dessus des têtes des moines en laissant un volume d'air et de lumière s'épanouir dans cet espace.

Il me semblait avoir des visions. Je voyais des silhouettes doubles et triples là où il n'y en avait qu'une, et même, en un éclair, une confusion brumeuse d'ailes angéliques et de visages ovales tournés vers moi, me contemplant à travers le voile du secret surnaturel.

« Voyez-vous ? » fut tout ce que je pus dire. Il fallait que j'accédasse à cette bibliothèque. Je devais y trouver les textes qui définissaient les démons. Non, je n'avais pas renoncé ! Oh non, je n'étais pas un idiot bafouillant. J'avais les propres anges du Seigneur à mes côtés. J'entraînerais Ramiel et Setheus en ce lieu et leur montrerais les textes.

Nous savons, Vittorio, efface les images de ton esprit, car nous les voyons.

« Où êtes-vous ? m'écriai-je.

— Calmez-vous, dirent les moines.

— Mais m'aiderez-vous à retourner là-bas et à les tuer ?

— Vous délirez », dirent les moines.

Cosme était le protecteur de cette bibliothèque. Quand le vieux Niccolo de Niccoli était mort, un merveilleux collectionneur de livres avec qui j'avais bien souvent bavardé à la librairie de Vespasiano da Bisticci, tous ses ouvrages religieux, et d'autres encore peut-être, avaient été achetés par Cosme pour ce monastère.

Je les y trouverais, dans cette bibliothèque, et trouverais la preuve chez Augustin ou Thomas d'Aquin des diables que j'avais combattus.

Non. Je n'étais pas fou. Je n'avais pas renoncé. Je n'étais pas un idiot bafouillant. Si seulement le soleil qui entrait par les hautes lucarnes de ce lieu aéré voulait bien cesser de me dessécher les yeux et de me brûler les mains.

« Du calme, du calme, dit le grand moine, toujours souriant. Vous faites des bruits de bébé. Hihihihi. Gargl, gargl. Vous m'entendez ? Écoutez-moi, la bibliothèque est occupée. Elle est ouverte au public aujourd'hui. Tout le monde est occupé aujourd'hui. »

Il fit quelques pas à peine au-delà de la bibliothèque pour me conduire à une cellule. « Par ici... », poursuivit-il comme s'il essayait d'amadouer un bébé turbulent. « À quelques pas d'ici seulement, il y a la cellule du Prieur, et devinez qui s'y trouve à l'instant même ? L'archevêque.

— Antonino ? murmurai-je.

— Oui, oui, parfaitement. Autrefois notre Antonino à nous. Eh bien, il est ici, et savez-vous pourquoi ? »

J'étais trop faible pour répondre. Les autres moines m'entouraient. Ils m'essuyaient avec des linges frais. Ils lissaient mes cheveux en arrière.

La cellule était vaste et propre. Oh, si seulement le soleil voulait bien cesser de briller ! Que m'avaient donc fait ces démons ? M'avaient-ils changé en un demi-démon ? Oserais-je demander un miroir ?

Déposé sur un lit doux et moelleux, dans ce lieu chaud et propre, je perdis le contrôle de mes membres. Je fus à nouveau malade.

Les moines m'assistèrent avec une cuvette en argent. Le soleil dardait sur une fresque, mais je ne pouvais supporter de regarder les personnages étincelants, pas dans cette illumination douloureuse. Il semblait que la cellule fût remplie d'autres personnages. Étaient-ce des anges ? Je vis des êtres transparents, planant, remuant, mais je ne pouvais discerner aucune silhouette précise. Seule la fresque aux couleurs empreintes dans le mur paraissait solide, valide, vraie.

« Ont-ils fait cela à mes yeux pour toujours ? » demandai-je. Je crus apercevoir une forme angélique dans l'embrasure de la porte de la cellule, mais ce n'était ni la silhouette de Setheus ni celle de Ramiel. Avait-elle des ailes palmées ? Des ailes de démon ? Je tressaillis de terreur.

Mais elle avait disparu. Bruissante, chuchotante. *Nous savons.*

« Où sont mes anges ? » demandai-je. Je hurlai. Je lançai les noms de mon père et de son père à lui, et de tous les di Raniari dont le nom me revenait.

« Chut, dit le jeune moine. Cosme sait que vous êtes ici. Mais c'est un jour terrible. Nous nous souvenons de votre père. Maintenant, laissez-nous vous retirer ces habits dégoûtants. »

Mon esprit flottait. La pièce avait disparu.

Sommeil hébété, un aperçu d'elle, Ursula ma sauveuse. Elle courait dans la prairie en fleurs. Qui la poursuivait, la chassant des fleurs oscillantes et ondoyantes ? Des iris pourpres l'entouraient, flétrissaient sous son pas. Elle se retournait. Non, Ursula ! Ne te retourne pas. Ne vois-tu pas le glaive de feu ?

Je me réveillai en nage. Était-ce la maudite fontaine baptismale ? Non. Je vis la fresque, les saints personnages, faiblement, et plus immédiatement les moines bien vivants qui m'entouraient, agenouillés sur la pierre, leurs larges manches retroussées tandis qu'ils me lavaient dans l'eau chaude et doucement parfumée.

« Ah, ce Francesco Sforza... » Ils bavardaient en latin. « Attaquer Milan et prendre possession du duché ! Comme si Cosme n'avait pas suffisamment d'ennuis sans que Sforza fasse des siennes.

— Il l'a fait ? Il a pris Milan ? demandai-je.

— Que disiez-vous ? Oui, mon fils, il l'a fait. Il a rompu la paix. Et votre famille, toute votre pauvre famille, assassinée par les mercenaires, ne croyez pas qu'ils resteront impunis, ces dévastateurs du pays, ces maudits Vénitiens...

— Non, il ne faut pas, vous devez le dire à Cosme. Ce n'était pas le fait de la guerre, ce qui est arrivé à ma famille, pas le fait d'êtres humains...

— Silence, mon enfant. »

Des mains chastes épongeaient l'eau de mes épaules. J'étais affalé contre le métal chaud du tub.

« ... di Raniari, toujours loyal, me dit l'un d'eux. Et votre frère devait venir étudier auprès de nous, votre cher frère Matteo... »

Je poussai un cri terrible. Une main douce scella mes lèvres.

« Sforza en personne les punira. Il nettoiera ce pays. »

Je criai, criai. Personne ne me comprenait. Ils refusaient de m'écouter.

Les moines me firent lever. Je fus vêtu d'une longue robe confortable de lin doux. L'idée me traversa que j'étais paré pour mon exécution, mais l'heure d'un pareil danger était passée.

« Je ne suis pas fou ! dis-je à voix haute.

— Non, pas du tout, seulement accablé par la douleur.

— Vous me comprenez !

— Vous êtes fatigué.

— On vous a préparé un lit bien doux, apporté ici spécialement pour vous. Faites silence, cessez de divaguer.

— C'était l'œuvre de démons, murmurai-je. Ce n'étaient pas des soldats.

— Je sais, mon fils, je sais. La guerre est terrible. La guerre est l'œuvre du Diable. »

Non, mais ce n'était pas la guerre. Quand allez-vous m'écouter ?

Chut, c'est Ramiel qui te parle à l'oreille ; ne t'ai-je pas dit de dormir ? Vas-tu nous écouter ? Nous avons entendu tes pensées aussi bien que tes mots !

J'étais étendu à plat ventre sur le lit. Les moines peignaient et séchaient mes cheveux. Ils étaient si longs à présent. Des cheveux négligés de gentilhomme campagnard. Mais c'était un immense réconfort que d'être baigné et propre comme un homme du monde.

« Ce sont des chandelles ? demandai-je. Le soleil s'est couché ?

— Oui, répondit le moine qui se tenait à côté de moi. Vous avez dormi.

— Puis-je avoir davantage de chandelles ?

— Oui, je vais vous les chercher. »

J'étais étendu dans l'obscurité. Je clignai des yeux et essayai d'articuler les paroles de l'*Ave*.

De nombreuses lumières apparurent à la porte, un groupe de six ou sept, chacune une douce flamme parfaitement dessinée. Puis elles vacillèrent tandis que les pieds du moine approchaient silencieusement de moi. Je le vis distinctement lorsqu'il s'agenouilla pour déposer le candélabre à la tête de mon lit.

Il était grand et mince, une grande perche en habit flottant. Que ses mains étaient propres ! « Vous êtes dans une cellule particulière. Cosme a envoyé des hommes enterrer vos morts.

— Grâce en soit rendue à Dieu, dis-je.

— Oui. »

Je pouvais donc parler maintenant !

« Ils débattent toujours en bas, et il se fait tard, dit le moine. Cosme est inquiet. Il va passer la nuit ici. La ville entière est pleine d'agitateurs vénitiens qui excitent la populace contre lui.

— Silence, maintenant », dit un autre moine qui était soudain apparu. Il se pencha et me souleva la tête pour placer dessous un autre gros oreiller.

Quelle félicité ! Je songeai aux malheureux prisonniers de la bergerie. « Oh, quelle horreur ! C'est la nuit, et ils attendent l'horrible communion.

— Qui cela, mon enfant ? Quelle communion ? »

Une fois de plus, j'entrevis des silhouettes, remuant, planant, pour ainsi dire, parmi les ombres. Mais elles aussi eurent bientôt disparu.

Il fallait que je vomisse. J'avais besoin de la cuvette. Ils retinrent mes cheveux pour moi. Virent-ils le sang à la lueur des chandelles ? Le pur filet de sang ? L'odeur était si épouvantable !

« Comment peut-on survivre à pareil poison ? murmura un moine en latin à l'oreille d'un autre. Ne pourrions-nous le purger ?

— Tu vas lui faire peur. Ne t'inquiète pas. Il n'a pas de fièvre.

— Eh bien, vous vous trompez bigrement si vous pensez m'avoir rendu idiot », déclarai-je soudain. Je le hurlai à Florian, à Godric et à tous les autres.

Les moines me dévisagèrent avec stupéfaction.

J'éclatai de rire. « Je parlai seulement à ceux qui ont essayé de me faire du mal », dis-je, en articulant de nouveau bien distinctement.

Le moine mince aux mains remarquablement soignées s'agenouilla auprès de moi. Il caressa mon front. « Et votre belle sœur, la sœur qui devait être mariée, est-elle aussi... ?

— Bartola ! Elle devait être mariée ? Je l'ignorais. Eh bien, voilà un hymen rompu. » Je pleurai. « Les vers font leur œuvre dans l'obscurité. Et les démons dansent sur la colline, mais la ville ne fait rien.

— Quelle ville ?

— Vous délirez de nouveau », dit un moine qui se tenait derrière les chandelles. Comme il se détachait distinctement, bien qu'il fût derrière la lumière, cet homme aux épaules arrondies avec un nez crochu et d'épaisses paupières lourdes et sombres. « Cessez de délirer, mon pauvre enfant. »

Je voulus protester, mais je vis soudain une immense aile soyeuse dont chaque plume était teintée d'or s'abattre sur moi en m'enveloppant. J'étais chatouillé de toutes parts par la douceur des plumes. Ramiel dit :

Que devons-nous faire pour que tu te taises ? Filippo a besoin de nous maintenant ; vas-tu nous laisser un peu de paix et de tranquillité pour Filippo, que Dieu nous a envoyés garder ? Ne me réponds pas. Obéis-moi.

L'aile écrasa toute vision, tout mal.

Pâle obscurité pleine d'ombres. Égale et complète. Les chandelles étaient derrière moi, haut placées.

Je me réveillai. Je me hissai sur les coudes. J'avais la tête claire. Une magnifique illumination homogène était traversée d'un infime frissonnement et emplissait la cellule. Le clair de lune frappait la fresque sur le mur, la fresque manifestement peinte par Fra Giovanni.

Mes yeux la voyaient avec une netteté stupéfiante. Était-ce mon sang démoniaque ?

Une étrange pensée me vint. Elle résonna dans ma conscience avec la clarté d'une cloche en or. Je ne possédais moi-même pas d'ange gardien ! Mes anges m'avaient quitté ; ils étaient partis, parce que mon âme était damnée.

Je n'avais pas d'anges. J'avais vu ceux de Filippo à cause du pouvoir que les démons m'avaient conféré, et pour une autre raison encore. Les anges de Filippo se disputaient tellement ! C'est comme cela que je les avais vus. Certains mots me revinrent.

Ils provenaient de Thomas d'Aquin, ou était-ce d'Augustin ? Je les avais tant lus tous les deux pour apprendre mon latin, et leurs digressions interminables m'avaient tellement enchanté. Les démons sont pleins de passion. Mais pas les anges.

Cependant ces deux anges possédaient une véritable fougue. C'était ainsi qu'ils avaient traversé le voile.

Je repoussai les couvertures et posai mes pieds nus sur le sol de pierre. Il était frais et agréable, parce que la pièce, ayant reçu le soleil toute la journée, était encore chaude.

Nul courant d'air ne balayait le sol poli et immaculé.

Je me plaçai devant la fresque. Je n'éprouvais ni vertige ni haut-le-cœur. J'étais de nouveau moi-même.

Quelle âme innocente et paisible devait avoir été Fra Giovanni. Tous ses personnages étaient dépourvus de méchanceté. Je voyais le Christ assis devant une montagne, auréole ronde dorée décorée des bras rouges et du sommet d'une croix. A Ses côtés se tenaient des anges de bonté. L'un d'eux Lui tendait du pain, et l'autre, dont la silhouette était amputée par la porte ouverte dans le mur, cet autre ange, dont les pointes des ailes étaient à peine visibles, portait du vin et de la viande.

Au-dessus, sur la montagne, je vis aussi le Christ. La fresque représentait différents incidents à la suite, et, en haut, le Christ était debout dans la même robe douce et plissée, mais là Il était agité, aussi agité que Fra Giovanni pouvait Le dépeindre, et le Christ avait levé la main gauche, comme dans un mouvement de colère.

Le personnage qui fuyait devant Lui était le Diable !

C'était la hideuse créature aux ailes palmées qu'il m'avait semblé apercevoir plus tôt, et elle avait aussi d'horribles pieds palmés au bout desquels on discernait des ergots. Le visage revêche, vêtu d'une robe gris sale, il fuyait devant le Christ, qui campait fermement dans le désert, refusant d'être tenté, et, après cette confrontation seulement, les anges de bonté étaient alors venus, et le Christ avait pris place, les mains jointes.

De terreur, je retins ma respiration en contemplant cette image du démon. Mais un grand élan de bien-être me traversa, me procurant un picotement à la racine des cheveux et à la plante des pieds contre le sol poli. J'avais mis en déroute les démons, j'avais refusé leur don d'immortalité. Je l'avais refusé. Même menacé de la croix !

J'eus un haut-le-cœur. La douleur me frappa telle un coup à l'estomac. Je fis demi-tour. La cuvette était là, propre et luisante, posée par terre. Je tombai à genoux et rendis encore de leur poison sirupeux. N'y avait-il point d'eau ?

Je regardai autour de moi. Il y avait une carafe et une tasse. La tasse était pleine et je la fis déborder en la portant à mes lèvres, mais son goût était aigre, rance et horrible. Je renversai son contenu.

« Vous avez empoisonné pour moi tout ce qui est naturel, monstres. Vous ne gagnerez pas ! »

Les mains tremblantes, je ramassai la tasse, la remplis à nouveau et essayai une nouvelle fois de boire. Mais le goût était nauséabond. A quoi puis-je le comparer ? Il n'était pas fétide comme l'urine ; on aurait dit de l'eau pleine de minéraux et de métaux, qui vous donnent la langue pâteuse et vous étouffent. C'était infect !

Je l'écartai. Très bien donc. Il était temps de se plonger dans l'étude, temps de ramasser le candélabre, ce que je fis sans plus tarder.

Je sortis de la cellule. Le couloir vide luisait dans la pâle lumière tombant des petites fenêtres situées au-dessus des cellules qui étaient fort basses.

Je tournai sur ma droite et me dirigeai vers les portes de la bibliothèque. Elles n'étaient pas verrouillées.

J'entrai avec mon candélabre. Une fois de plus, la tranquillité du plan de Michelozzo me procura chaleur, foi en toutes choses, et confiance. Deux rangées d'arches et de colonnes ioniques reculaient depuis le centre de la pièce pour faire place à une large allée jusqu'à la lointaine porte opposée ; de part et d'autre se trouvaient les tables d'étude, tandis que les murs étaient tapissés d'étagères pleines de codex et de rouleaux.

Je traversai pieds nus le pavage en épi du sol, tenant la chandelle en hauteur afin que la lumière emplît le plafond voûté, heureux d'être là, seul.

De part et d'autre, les fenêtres laissaient filtrer de pâles rayons de lumière à travers l'amoncellement d'étagères, mais combien les hauts plafonds étaient divins et apaisants ! Comme il s'y était pris audacieusement, faisant une basilique d'une bibliothèque !

Comment pouvais-je savoir, enfant que j'étais alors, que ce style serait partout imité dans ma chère Italie ? Oh ! il y avait tant de choses merveilleuses alors, pour les vivants et pour l'éternité.

Et moi ? Que suis-je ? Est-ce que je vis ? Ou marché-je toujours dans la mort, éternel amoureux du temps ?

Je restai planté avec mon candélabre. Comme mes yeux appréciaient la splendeur baignée par la lune ! Comme j'avais envie de rester là éternellement, rêvant, proche des choses de l'esprit et des choses de l'âme, et loin du souvenir de la misérable ville ensorcelée sur sa montagne maudite et du château voisin qui, en cet instant même, devait probablement reluire de toutes ses lumières spectrales et horribles !

Pouvais-je discerner l'ordre de cette abondance de livres ?

L'archiviste de cette bibliothèque, le moine qui avait fait ce travail, cet érudit-là, était maintenant le pape de toute la chrétienté, Nicolas V.

Je parcourus les rayonnages qui se trouvaient sur ma droite, tenant haut mon candélabre. Le rangement serait-il alphabétique ? Je pensais à Thomas d'Aquin, car je le connaissais plus intimement, mais ce fut saint Augustin que je trouvai. Et j'avais toujours aimé Augustin, aimé son style coloré et ses excentricités, et le ton dramatique sur lequel il écrivait.

« Oh, tu as plus écrit sur les démons, tu vaux mieux ! » murmurai-je.

La Cité de Dieu ! Je le vis, exemplaire après exemplaire. Il y avait plusieurs dizaines de codex de ce chef-d'œuvre, sans parler de tous les autres ouvrages de ce grand saint, ses *Confessions*, qui m'avaient saisi autant qu'un drame romain, et tant d'autres. Certains de ces livres étaient anciens, faits de vieux parchemins débraillés, d'autres avaient des reliures extravagantes. D'autres encore étaient fort simples et tout neufs.

Par charité et considération, je devais prendre le plus solide de ces derniers, même s'il pouvait contenir des erreurs, et Dieu savait combien les moines travaillaient durement pour éviter les erreurs. Je savais quel volume je voulais. Je connaissais le volume sur les démons parce que je l'avais trouvé si fascinant et si drôle : j'y avais vu un parfait tissu de balivernes. Oh, quel imbécile j'avais été !

Je pris l'épais volume, le numéro neuf de la série, le glissai dans le creux de mon bras, avançai jusqu'au premier bureau, puis plaçai soigneusement le candélabre devant moi, là où il m'éclairerait sans projeter d'ombre sous mes doigts, et j'ouvris le livre.

« Tout est là ! murmurai-je. Dis-moi, saint Augustin, ce qu'ils étaient afin que je puisse persuader Ramiel et Setheus de m'aider, ou donne-moi les moyens de convaincre ces modernes Florentins qui ne songent à rien d'autre aujourd'hui qu'à faire la guerre aux mercenaires de la sérénissime république de Venise. Aide-moi, saint, je te le demande. »

Ah ! chapitre 10 du volume IX. Je le savais...

Augustin citait Plotin, ou l'expliquait :

> ... *que le fait même de la mortalité corporelle est dû à la compassion de Dieu, qui n'aurait voulu nous garder éternellement dans la misère de cette vie. La méchanceté des démons n'a pas été jugée digne de cette compassion, et dans la misère de leur état, avec une âme sujette aux*

*troubles, ils n'ont pas reçu le corps mortel que l'homme
a reçu, mais un corps éternel.*

« Ah, oui ! dis-je. Et c'est ce que Florian m'a offert, fanfa-
ronnant qu'ils ne vieillissaient pas ni ne se flétrissaient, et
n'étaient pas sujets aux maladies, que j'aurais pu vivre là-
bas avec eux éternellement. Maudit, maudit ! Eh bien, voici
la preuve, je la tiens, et je peux la montrer aux moines ! »
Je continuai de lire, en diagonale, pour trouver les élé-
ments qui viendraient nourrir mon dossier. Chapitre 11 :

> *Apulée dit aussi que les âmes des hommes sont des
> démons. En quittant le corps humain, elles deviennent
> des lares si elles se sont montrées bonnes, des lémures
> ou larves, si elles se sont montrées mauvaises.*

« Oui, des lémures, je connais ce mot. Des lémures ou
larves, et Ursula m'a dit qu'elle avait été jeune, aussi jeune
que moi ; ils étaient tous humains et, maintenant, ils sont
des lémures. »

> *Selon Apulée, les larves sont des démons malins créés
> à partir d'hommes.*

J'étais saisi par l'exaltation. J'avais besoin de parchemin
et de plumes. Il fallait que je notasse la référence. Il fallait
que je prisse note de ce que j'avais découvert et que je pour-
suivisse. Car le point suivant était évidemment de
convaincre Ramiel et Setheus qu'ils étaient tombés sur le
plus grand...
Mes pensées furent brutalement interrompues.
Derrière moi, un personnage était entré dans la bibliothèque. J'entendis un pas lourd, mais sourd en même temps,
et une grande obscurité se profila dans mon dos, comme si
tous les minces rayons de la lune qui tombaient par le passage avaient été occultés.
Je me tournai lentement et regardai par-dessus mon
épaule.

« Et pourquoi avez-vous choisi la gauche ? » demanda ce personnage.

Il se dressait devant moi, immense et ailé, le visage lumineux dans le vacillement des chandelles, les sourcils doucement haussés, mais droits, si bien que nulle courbure ne pouvait les rendre moins sévères. Il avait les cheveux dorés exubérants de la brosse de Fra Filippo, bouclés, sous un énorme casque de bataille rouge et, derrière lui, ses ailes étaient comme caparaçonnées d'or.

Il portait une armure au plastron ornementé et aux épaules couvertes de boucliers et, autour de la taille, une écharpe de soie bleue. Son épée était dans un fourreau, et d'un bras relâché il tenait son écu avec sa croix rouge.

Je n'avais jamais vu son pareil.

« J'ai besoin de vous ! » déclarai-je. Je me levai, renversant le banc. Je tendis une main pour l'empêcher de tomber à grand bruit et me tournai vers lui.

« Tu as besoin de moi ! dit-il avec une sourde indignation. C'est ça ! Toi qui étais prêt à détourner Ramiel et Setheus de Fra Filippo Lippi. Tu as besoin de moi ? Sais-tu qui je suis ? »

C'était une voix splendide, riche, soyeuse, violente et perçante, bien que grave.

« Vous avez une épée, dis-je.

— Oh, et pour quoi ?

— Pour les tuer, tous ! répondis-je. Pour m'accompagner là-bas, de jour, à leur château. Savez-vous de quoi je parle ? »

Il hocha la tête. « Je sais ce que tu as rêvé et ce que tu as déliré, et ce que Ramiel et Setheus ont glané dans ton esprit fiévreux. Bien sûr que je sais. Tu as besoin de moi, dis-tu, et Fra Filippo Lippi est au lit avec une putain qui lèche ses membres douloureux, et l'un d'eux tout particulièrement, qu'elle met au supplice !

— De telles paroles dans la bouche d'un ange !

— Ne te moque pas de moi, ou je te corrigerai », dit-il. Ses ailes s'élevaient et retombaient comme s'il soupirait avec elles, ou suffoquait plutôt, devant mon impertinence.

« Alors faites-le ! » dis-je. Mes yeux se repaissaient abominablement de sa beauté rutilante, de la cape de soie rouge qui était agrafée juste en dessous du morceau de tunique qui dépassait de son armure, du moelleux solennel de ses joues. « Mais venez avec moi dans les montagnes pour les tuer, l'implorai-je.

— Pourquoi ne le fais-tu pas toi-même ?

— Pensez-vous que je le puisse ? » demandai-je.

Son visage s'apaisa. Sa lèvre inférieure fit une infime moue des plus songeuses. Sa mâchoire et son cou étaient puissants, bien plus puissants que chez Ramiel ou Setheus, qui semblaient plus jeunes, tandis que lui serait leur magnifique frère aîné.

« Vous n'êtes pas l'Ange déchu, n'est-ce pas ? demandai-je.

— Comment oses-tu ! » murmura-t-il en sortant de sa torpeur. Un terrible froncement de sourcils barra son front.

« Mastema, alors, voilà qui vous êtes. Ils ont prononcé votre nom. Mastema. »

Il hocha la tête et sourit d'un air suffisant. « Ils ont dû, bien sûr, prononcer mon nom.

— Ce qui signifie quoi, grand ange ? Que je peux faire appel à vous, que j'ai le pouvoir de vous commander ? » Je me tournai et tendis la main vers l'ouvrage de saint Augustin.

« Repose ce livre ! dit-il avec impatience, mais sans s'énerver. Un ange se tient devant toi, mon enfant ; regarde-moi quand je te parle !

— Ah, vous parlez comme Florian, le démon de ce lointain château. Vous avez le même calme, la même modulation. Que voulez-vous de moi, ange ? Pourquoi êtes-vous venu ? »

Il resta silencieux, comme s'il était incapable de répondre. Puis, tranquillement, il me posa une question. « Pourquoi, penses-tu ?

— Parce que j'ai prié.

— Oui, dit-il froidement. Oui ! Et parce qu'ils sont venus me trouver à ton sujet. »

Mes yeux s'écarquillèrent. Je sentis la lumière les remplir. Mais la lumière ne les blessait pas. Un léger bouquet de doux sons emplit mes oreilles.

L'encadrant de part et d'autre apparurent Ramiel et Setheus, leurs visages plus bienveillants, plus tendres, tournés vers moi.

Mastema haussa de nouveau les sourcils en me regardant.

« Fra Filippo est saoul, dit-il. Quand il se réveillera, il se saoulera à nouveau jusqu'à ce que la douleur ait disparu.

— Quelle imbécillité de mettre un grand peintre au chevalet ! dis-je. Mais vous connaissez mon avis sur la question.

— Ah ! Ainsi que l'avis de toutes les femmes de Florence, dit Mastema. Et l'avis de tous les grands personnages qui paient pour ses toiles, quand leur esprit n'est pas occupé à la guerre.

— Oui », dit Ramiel en levant un regard implorant vers Mastema. Ils étaient de la même taille, mais Mastema ne se retourna pas, et Ramiel s'avança légèrement, comme pour se faire voir de lui. « Quand ils ne sont pas tous aussi exaltés par la guerre.

— La guerre est le monde, dit Mastema. Je te l'ai déjà demandé, Vittorio di Raniari : sais-tu qui je suis ? »

J'étais bouleversé, non par la question, mais que tous trois fussent maintenant ensemble, et que je me tinsse devant eux, le seul mortel, tandis que tout le monde des humains qui nous entourait semblait dormir.

Pourquoi aucun moine n'avait-il descendu le couloir pour voir qui murmurait dans la bibliothèque ? Pourquoi nul gardien de la nuit ne s'était inquiété des chandelles qui vacillaient dans le couloir ? Ni de savoir pourquoi le garçon marmonnait et délirait ?

Étais-je fou ?

Il me sembla subitement, de manière ridicule, que si je répondais correctement à Mastema, je ne serais pas fou.

Cette pensée tira de lui un petit rire, ni rude ni doux.

Setheus me contemplait avec son évidente sympathie. Ramiel ne disait rien, mais il se tourna de nouveau vers Mastema.

« Vous êtes l'ange auquel le Seigneur donne la permission de manier cette épée », dis-je. Aucune réponse ne vint de lui. Je poursuivis. « Vous êtes l'ange qui a massacré les premiers-nés d'Égypte », dis-je. Pas de réponse. « Vous êtes l'ange, l'ange de vengeance. »

Il hocha la tête, mais en fait seuls ses yeux bougèrent. Ils se fermèrent et se rouvrirent.

Setheus se rapprocha de lui, portant les lèvres à son oreille.

« Aidez-le, Mastema, aidons-le tous. Fillipo n'a que faire de nos conseils à présent.

— Et pourquoi ? » demanda Mastema à l'ange qui se tenait à son côté. Il me regarda.

« Dieu ne m'a donné aucune permission de punir ces démons dont tu parles. Jamais Dieu ne m'a dit : "Mastema, massacre les vampires, les lémures, les larves, les suceurs de sang." Jamais Dieu ne m'a parlé pour me dire : "Dégaine ta puissante épée pour débarrasser le monde de ces créatures."

— Je vous en conjure, dis-je. Moi, simple mortel, je vous en conjure. Tuez-les, détruisez ce nid de vipères avec votre épée.

— Je ne peux le faire.

— Mastema, vous pouvez ! » déclara Setheus.

Ramiel prit la parole. « S'il dit qu'il ne peut pas, il ne peut pas ! Pourquoi ne l'écoutes-tu jamais ?

— Parce que je sais qu'il peut être ébranlé, répondit sans hésiter Setheus à son congénère. Je sais qu'il peut l'être, tout comme Dieu peut être ébranlé. »

Setheus s'avança hardiment devant Mastema.

« Prends le livre, Vittorio », dit-il. Il s'avança. Aussitôt les grandes pages de vélin, si lourdes qu'elles fussent, se mirent à voltiger. Il le déposa entre mes mains et m'indiqua l'endroit de son doigt pâle, effleurant à peine le sombre alignement de caractères.

Je lus à voix haute :

Et donc Dieu, qui a créé les merveilles visibles du Ciel et de la Terre, ne dédaigne pas de faire des miracles

visibles au Ciel et sur la Terre, par quoi Il éveille l'âme,
jusque-là préoccupée des choses visibles, à Le vénérer.

Son doigt bougea, et mes yeux le suivirent. Je lus, au sujet
de Dieu :

Pour Lui, il n'y a pas de différence entre nous voir sur
le point de prier et écouter nos prières, car même quand
Ses anges écoutent, c'est Lui-même qui écoute en eux.

Je m'arrêtai, les yeux embués de larmes. Il prit le livre
pour le mettre à l'abri de mes pleurs.

Un bruit avait pénétré notre petit cercle. Des moines
étaient venus. Je les entendis chuchoter dans le corridor,
puis la porte s'ouvrit brusquement. Ils entrèrent dans la
bibliothèque.

Je pleurais et, quand je levai les yeux, je les vis me
contempler — deux moines que je ne connaissais pas ou ne
me souvenais pas avoir vus.

« Qu'y a-t-il, jeune homme ? Que faites-vous ici tout seul
à pleurer ? demanda le premier.

— Venez, nous allons vous raccompagner à votre lit.
Nous vous apporterons quelque chose à manger.

— Non, je ne peux rien manger, dis-je.

— Non, il ne peut rien manger, dit le premier moine à
l'autre. Ça le rend toujours malade. Mais il peut se reposer. » Il me regarda.

Je me tournai. Les trois anges rayonnants contemplaient
silencieusement les moines qui ne les voyaient pas, qui
n'avaient pas la moindre idée de leur présence !

« Cher Dieu du Ciel, dis-moi, s'il te plaît, fis-je. Suis-je
devenu fou ? Les démons ont-ils gagné, m'ont-ils si bien
pollué avec leur sang et leurs potions que je vois des choses
qui sont des illusions, ou suis-je venu comme Marie à la
tombe pour y voir un ange ?

— Venez vous coucher », dirent les moines.

« Non, dit Mastema, s'adressant tranquillement à l'un des
moines qui ne le voyait ni ne l'entendait. Qu'il reste. Qu'il

lise pour apaiser son esprit. C'est un garçon qui a de l'éducation. »

« Non, non », fit alors le moine en secouant la tête. Il jeta un coup d'œil vers l'autre. « Nous devrions le laisser ici. C'est un garçon qui a de l'éducation. Il peut lire tranquillement. Cosme a dit qu'il devait avoir tout ce qu'il désirait. »

« Allons, laissez-le maintenant, dit doucement Setheus.

— Chut, dit Ramiel. Laisse faire Mastema. »

J'étais trop inondé de chagrin et de bonheur pour réagir. Je me couvris le visage, et cela me fit penser à ma pauvre Ursula, prisonnière à tout jamais de sa cour de démons, et à toutes les larmes qu'elle avait versées pour moi. « Comment était-ce possible ? murmurai-je entre mes doigts.

— Parce qu'elle a été humaine autrefois et qu'elle a un cœur humain », me répondit Mastema en silence.

Les deux moines se hâtaient de sortir. Pendant un instant, le trio d'anges fut aussi pur que de la lumière, et je vis à travers eux les deux silhouettes des moines qui battaient en retraite, refermant la porte derrière eux.

Mastema me dévisagea de son regard posé et puissant.

« On pourrait lire n'importe quoi sur votre visage, dis-je.

— Il en va toujours ainsi de presque tous les anges, répliqua-t-il.

— Je vous en conjure, dis-je. Venez avec moi. Aidez-moi. Guidez-moi. Faites ce que vous venez de faire avec ces moines. C'est en votre pouvoir, n'est-ce pas ? »

Il hocha la tête.

« Mais nous ne pouvons faire plus que cela, tu vois, dit Setheus.

— Laisse parler Mastema, dit Ramiel.

— Retourne au Ciel ! dit Setheus.

— S'il vous plaît, tous les deux, restez calmes, dit Mastema. Vittorio, je ne peux pas les massacrer. Je n'ai pas la permission. En revanche, toi, tu peux le faire, et avec ta propre épée.

— Mais vous viendrez.

— Je t'emmènerai, dit-il. Au lever du soleil, quand ils dormiront sous leurs pierres. Mais tu devras les tuer, tu

devras les exposer à la lumière, tu devras libérer ces malheureux prisonniers, et tu devras faire face aux habitants de la
ville, ou libérer ce troupeau d'impotents et t'enfuir.

— Je comprends.

— Nous pouvons retirer les pierres de leurs lieux de
sommeil, n'est-ce pas ? » demanda Setheus. Il leva la main
pour faire taire Ramiel avant que celui-ci pût protester. « Il
faudra que nous le fassions.

— Nous pouvons le faire, dit Mastema. Tout comme
nous pouvons empêcher une poutre de tomber sur la tête
de Filippo. Nous pouvons le faire. Mais nous ne pouvons
pas les tuer. Et toi, Vittorio, nous ne pouvons pas non plus
te faire achever ton œuvre si tes nerfs ou ta volonté
faiblissent.

— Ne pensez-vous pas que le miracle de vous avoir vus
me soutiendra ?

— Le fera-t-il ? demanda Mastema.

— Vous pensez à elle, n'est-ce pas ?

— Crois-tu ? demanda-t-il.

— J'irai jusqu'au bout, mais vous devez me dire...

— Que dois-je te dire ? demanda Mastema.

— Son âme, ira-t-elle en Enfer ?

— Je ne peux pas répondre à cela, dit Mastema.

— Vous le devez.

— Non. Je ne dois rien faire d'autre que ce pour quoi le
Seigneur Dieu m'a créé, et je m'y emploie, mais résoudre les
mystères sur lesquels Augustin a médité toute sa vie durant,
non, cela je ne dois ni ne veux le faire. »

Mastema prit le livre.

À nouveau, les pages remuèrent sous l'effet de sa volonté.
Je sentis leur souffle.

Il lut :

*Il y a quelque chose à gagner des discours inspirés de
l'Écriture.*

« Ne me lis pas ces paroles ; elles ne m'aident pas ! dis-
je. Peut-elle être sauvée ? Peut-elle sauver son âme ? La pos-

sède-t-elle toujours ? Est-elle aussi puissante que vous l'êtes ? Pouvez-vous déchoir ? Le Diable peut-il revenir à Dieu ? »

Il reposa le livre d'un mouvement leste et aérien que je pus à peine suivre.

« Es-tu prêt pour cette bataille ? demanda-t-il.

— Ils seront sans défense à la lumière du jour, me dit Setheus. Y compris elle. Elle aussi reposera, impuissante. Tu dois soulever les pierres qui les couvrent, et tu sais ce qui te restera à faire. »

Mastema secoua la tête. Il se retourna et leur fit signe de s'écarter de son chemin.

« Non, s'il te plaît, je t'en conjure ! dit Ramiel. Fais-le pour lui. Fais-le, s'il te plaît. Nous ne pouvons rien pour Filippo avant plusieurs jours.

— Vous n'en savez rien, dit Mastema.

— Mes anges peuvent-ils se rendre auprès de lui ? demandai-je. N'en ai-je point qui puissent lui être envoyés ? »

Je n'avais pas plus tôt prononcé ces paroles que je me rendis compte que deux entités supplémentaires avaient pris forme chacune à mes côtés, et quand je regardai de gauche à droite je les vis, sauf qu'elles étaient pâles et lointaines, et qu'elles n'avaient pas la flamme des gardiens de Filippo, seulement une présence et une volonté tranquilles et indéniables.

Je les contemplai l'une après l'autre pendant un long moment et ne pus trouver dans mon esprit aucun mot pour les décrire. Leur visage semblait lisse, patient et placide. C'étaient des êtres ailés, grands, oui, je peux l'affirmer, mais que dire de plus, car je ne pouvais leur attribuer ni couleur, ni splendeur, ni individualité : ils n'avaient ni habits ni gestes, ni quoi que ce fût que je pusse aimer en eux.

« Qu'y a-t-il ? Pourquoi ne me parlent-ils pas ? Pourquoi me regardent-ils de cette manière ?

— Ils te connaissent, dit Ramiel.

— Tu es plein de vengeance et de désir, dit Setheus. Ils

le savent ; ils ont été à tes côtés. Ils ont mesuré ta douleur et ta colère.

— Bon Dieu, ces démons ont tué ma famille ! explosai-je. L'un d'entre vous connaît-il l'avenir de mon âme ?

— Bien sûr que non, dit Mastema. Pourquoi serions-nous ici si tel était le cas ? Pourquoi l'un quelconque d'entre nous serait-il ici si c'était prescrit ?

— Ne savent-ils pas que j'ai affronté la mort plutôt que de boire le sang des démons ? La vendetta n'aurait-elle pas exigé que je le busse et détruisisse mes ennemis une fois que j'aurais acquis leurs pouvoirs ? »

Mes anges se rapprochèrent.

« Oh, où donc étiez-vous quand j'étais sur le point de mourir ? demandai-je.

— Ne les provoque pas. Tu n'as jamais réellement cru en eux. » C'était la voix de Ramiel. « Tu nous as aimés quand tu as vu nos images et que le sang des démons bouillonnait en toi, tu as vu que tu pouvais aimer. Voilà le danger maintenant. Peux-tu tuer cet amour ?

— Je les détruirai tous, dis-je. D'une manière ou d'une autre, je le jure sur mon âme. » Je dévisageai mes pâles gardiens inflexibles, bien que non réprobateurs, puis les autres, qui brûlaient si brillamment contre les ombres de la vaste bibliothèque, contre les teintes sombres des rayonnages et des livres entassés.

« Je les détruirai tous », jurai-je. Je fermai les yeux. J'imaginai Ursula, gisant sans défense le jour, et je me vis me pencher et embrasser son front blanc et froid. Mes sanglots furent étouffés et mon corps frémit. Je hochai la tête à nouveau et encore : oui, je le ferai, je le ferai, je le ferai !

« À l'aube, dit Mastema, les moines auront disposé des habits propres pour toi, un costume de velours rouge, tes armes nettoyées de frais, et tes bottes décrottées. Tout sera fini alors. N'essaie pas de manger. Il est trop tôt et le sang de démon bout toujours en toi. Prépare-toi, et nous t'emmè-nerons au nord pour que tu fasses ce qui doit être fait à la lumière du jour. »

11

*« La lumière brille dans les ténèbres,
et les ténèbres ne l'ont point reçue. »*
(ÉVANGILE SELON JEAN 1, 5)

Les monastères s'éveillent tôt, s'ils dorment jamais vraiment.

Mes yeux s'ouvrirent tout d'un coup, et alors seulement, tandis que je voyais la lumière du matin baigner la fresque, comme le voile de l'obscurité en avait été retiré, alors seulement je sus combien j'avais dormi profondément.

Des moines s'affairaient dans ma cellule. Ils avaient apporté la tunique de velours rouge, les vêtements que Mastema m'avait décrits, et ils étaient en train de les disposer. J'avais de belles chausses de laine rouge à porter avec, et une chemise de soie dorée, et une autre de soie blanche à porter par-dessus, et puis une nouvelle et solide ceinture pour la tunique. Mes armes étaient polies, comme on m'avait dit qu'elles le seraient, ma lourde épée incrustée de joyaux, luisante comme si mon père en personne avait joué avec elle tout au long d'une paisible soirée devant la cheminée. Mes dagues étaient prêtes.

Je descendis du lit et tombai à genoux pour prier. Je fis le signe de croix. « Seigneur, donne-moi la force de renvoyer à toi ceux qui se nourrissent de mort ! »

C'était un murmure en latin.

L'un des moines me toucha l'épaule et sourit. Le grand silence n'était-il point encore terminé ? Je n'en avais aucune idée. Il me désigna une table où de la nourriture avait été déposée à mon intention — du pain et du lait. Le lait était mousseux.

Je hochai la tête et lui rendis son sourire, puis son compagnon et lui s'inclinèrent légèrement et sortirent.

Je me tournai en tous sens.

« Vous êtes tous là, je le sais », dis-je, mais je ne m'en préoccupai pas plus longtemps. S'ils n'étaient pas venus, alors j'avais recouvré mes esprits, mais rien de tel n'était vrai, pas plus qu'il n'était vrai que mon père était en vie.

Sur la table, non loin de la nourriture, tenue en place par le poids d'un candélabre, se trouvait une pile de documents fraîchement rédigés et signés d'un paraphe fleuri.

Je les parcourus rapidement.

Il s'agissait de reçus pour mon argent et tous mes bijoux, le contenu de mes fontes quand j'étais arrivé. Tous ces documents portaient le sceau des Médicis.

Il y avait une bourse pleine d'argent à nouer à ma ceinture. Toutes mes bagues s'y trouvaient, nettoyées et polies, si bien que les cabochons de rubis brillaient de mille feux et que les émeraudes avaient une profondeur sans défauts. L'or luisait comme il ne l'avait pas fait depuis des mois peut-être, du fait de ma propre négligence.

Je me brossai les cheveux, fâché de leur épaisseur et de leur longueur, mais n'ayant pas le temps de convoquer un barbier pour me les faire couper au-dessus des épaules. Au moins étaient-ils assez longs, et ce depuis un moment, pour rester en arrière et ne pas masquer mon front. C'était un luxe de les avoir si propres.

Je m'habillai rapidement. Mes bottes étaient un peu serrées parce qu'elles avaient séché devant un feu après la pluie. Mais elles se mariaient agréablement aux fines chausses. Je fis tous les ajustements nécessaires et disposai mon épée à mon côté.

La tunique de velours rouge était nattée de fils d'or et d'argent sur ses bords et son plastron était richement décoré de fleurs de lis en argent, le plus ancien symbole de Florence. Une fois la ceinture serrée, la tunique n'arrivait plus qu'à mi-hauteur de mes cuisses. Elle était faite pour de belles jambes.

Tout cet habillement était plus approprié au plaisir qu'à

la bataille, mais de quelle bataille s'agissait-il ? C'était un massacre. J'enfilai la courte cape flamboyante qu'ils m'avaient donnée, agrafant ses boucles dorées, même si elle devait s'avérer chaude pour la ville. Elle était doublée d'une fine et douce fourrure d'écureuil brun sombre.

J'ignorai le chapeau. Je nouai la bourse. J'enfilai mes bagues l'une après l'autre jusqu'à ce que mes mains fussent devenues des armes du fait de leur poids. Je passai les doux gants doublés de fourrure. Je trouvai un rosaire aux grains d'ébène sombre que je n'avais pas remarqué jusque-là. Y pendait un crucifix doré que j'embrassai avant de le glisser dans la poche sous ma tunique.

Je me rendis compte que je contemplais le sol et que j'étais entouré de paires de pieds nus. Lentement, je levai le regard.

Mes anges se tenaient devant moi, mes propres gardiens en personne, dans de longues robes flottantes bleu sombre qui semblaient être taillées dans une matière plus légère, tout en étant plus opaque, que la soie. Leurs visages étaient blanc ivoire et luisaient discrètement, et leurs yeux étaient larges et semblables à des opales. Ils avaient des cheveux sombres, ou des cheveux qui semblaient changer de couleur comme s'ils étaient faits d'ombres.

Ils se tenaient devant moi, leurs têtes toutes proches au point qu'elles se touchaient. On eût dit qu'ils communiaient silencieusement ensemble.

Ils m'accablaient. Quelle épreuve intérieure terrifiante que je dusse les voir si proches et si vivants, en sachant que c'étaient eux qui s'étaient toujours tenus à mes côtés ; c'était du moins ce que j'avais cru. Ils étaient légèrement plus grands que des êtres humains, tout comme les autres anges que j'avais vus, mais leur taille n'était pas tempérée par les doux visages que j'avais observés chez les autres, leurs traits étant globalement plus lisses et communs, leurs bouches plus larges, bien qu'exquisément dessinées.

« Et tu ne crois plus en nous maintenant ? demanda l'un d'eux dans un murmure.

— Pouvez-vous me donner vos noms ? » répondis-je.

Tous deux secouèrent aussitôt la tête en signe de dénégation.

« M'aimez-vous ? repris-je.

— Où est-il écrit que nous le devrions ? » répliqua celui qui n'avait pas encore parlé. Sa voix était aussi atone et douce qu'un murmure, mais plus distincte. Elle aurait pu être celle de l'autre ange.

« Nous aimes-tu ? demanda l'autre.

— Pourquoi me gardez-vous ? voulus-je savoir.

— Parce que nous avons été envoyés pour le faire, et nous resterons auprès de toi jusqu'à ce que tu meures.

— Sans amour ? » m'insurgeai-je.

Ils secouèrent de nouveau la tête en signe de dénégation.

Peu à peu, la lumière envahit la pièce. Je me tournai vivement vers la fenêtre. Je croyais que c'était le soleil. Le soleil ne pouvait pas me blesser, pensais-je.

Mais ce n'était pas lui. C'était Mastema, qui s'était dressé derrière moi tel un nuage d'or, et il était flanqué de part et d'autre de mes défenseurs, mes avocats, mes champions, Ramiel et Setheus.

La pièce chatoyait et semblait vibrer sans un bruit. Mes anges paraissaient scintiller et leurs habits s'illuminer de blanc brillant et de bleu profond.

Tous étaient tournés vers la silhouette casquée de Mastema.

Un immense et musical bruissement envahit l'air, un bruit chantant, comme si une colonie de petits oiseaux à gorge d'or s'étaient éveillés et envolés depuis les branches de leurs arbres baignés de soleil.

Je dus fermer les yeux. Je perdis l'équilibre, l'air devint plus frais, et il me sembla que ma vue se brouillait de poussière.

Je secouai la tête et regardai autour de moi.

Nous étions dans l'enceinte du château.

L'endroit était humide et très sombre. La lumière filtrait par les jours de l'immense pont-levis, qui était bien sûr relevé et verrouillé. De part et d'autre, il y avait des murs de pierre grossière où pendaient çà et là des crochets et des chaînes rouillés qui n'avaient pas servi depuis bien des lustres. Je fis demi-tour et entrai dans une cour faiblement éclairée, le souffle soudain coupé par la hauteur des murailles qui m'entouraient et s'élevaient jusqu'à un carré bien net de ciel bleu.

Certainement n'était-ce qu'une avant-cour, celle de l'entrée, car devant nous se dressait une nouvelle porte à deux battants, assez immense pour laisser passer le plus gros charroi imaginable ou quelque machine de guerre du dernier cri.

Le sol était souillé. Très haut sur chaque côté se trouvaient des fenêtres, des rangées entières de fenêtres à arc brisé, et toutes étaient fermées par des barreaux.

« J'ai besoin de toi maintenant, Mastema », dis-je. Je fis à nouveau le signe de croix. Je sortis le rosaire, embrassai le crucifix et contemplai un instant le petit corps tordu de Notre-Seigneur torturé.

La large porte s'ouvrit. Il y eut un craquement sonore, puis le grincement de verrous métalliques, et les battants tournèrent sur leurs gonds en gémissant, révélant une lointaine cour intérieure emplie de soleil, d'une taille bien plus impressionnante.

La muraille que nous traversâmes était épaisse de trente à quarante pieds. Des portes de part et d'autre, lourdement arquées dans la pierre taillée, témoignaient des premiers signes de raffinement que j'eusse aperçus depuis notre entrée.

« Ces créatures ne vont ni ne viennent comme les autres », dis-je. Je pressai le pas afin d'atteindre le plein soleil de la cour. L'air montagnard était trop frais et trop humide dans l'atmosphère renfermée du passage.

Là, en me redressant, je vis des fenêtres semblables à celles dont j'avais gardé le souvenir, tendues de riches bannières et flanquées de lanternes qui devaient briller la nuit. Plus loin, je vis des tapisseries négligemment jetées sur des appuis de fenêtres comme si la pluie n'était rien. Et tout en haut j'aperçus les créneaux dentelés et les couronnements de fin marbre blanc.

Mais ce n'était pas encore la grande cour. Là encore, les murs étaient rustiques. Les pierres du sol étaient sales et n'avaient pas été foulées depuis des années. De l'eau formait des flaques çà et là. Les mauvaises herbes poussaient à foison dans les fissures, mais, ah ! il y avait de douces fleurs sauvages ; je les regardai tendrement et tendis une main pour les caresser, m'émerveillant de les trouver là. De nouvelles portes nous attendaient ; celles-ci — immenses, en bois, bardées de fer et sévèrement pointues au sommet dans leur profonde embrasure de marbre — cédèrent d'un seul coup pour nous laisser traverser une nouvelle muraille.

Oh, quel jardin magnifique nous attendait !

Tandis que nous avancions de nouveau à travers quarante pieds d'obscurité, je vis les grandes plantations d'orangers devant nous et j'entendis les chants d'oiseaux. Je me demandai s'ils étaient retenus prisonniers ici-bas ou s'ils pouvaient voler jusqu'en haut des murailles et s'échapper.

Oui, ils le pouvaient. L'endroit était assez spacieux. Et c'était ici que se trouvait le parement de beau marbre blanc de mes souvenirs, se dressant jusqu'au sommet, tout en haut.

Tandis que je pénétrai dans le jardin, que j'empruntai le premier chemin de marbre qui traversait les parterres de violettes et de roses, je vis les oiseaux aller et venir, tournoyant dans ce vaste lieu, si bien qu'ils pouvaient s'élever au-dessus des tours qui se dressaient, hautes et majestueuses, contre le ciel.

Partout, le parfum des fleurs me submergeait. Les lis se mêlaient aux iris dans les parterres, les oranges mûres et presque rouges pendaient aux arbres, les citrons étaient encore durs et teintés de vert.

Des arbustes et des plantes grimpantes étreignaient les murs.

Les anges se rassemblèrent autour de moi. Je me rendis compte que, depuis le départ, c'était moi qui avais ouvert la voie, moi qui avais déclenché tous les mouvements, et que c'était moi toujours qui nous retenais à présent en ce jardin. Ils attendaient tandis que je penchais la tête.

« Je cherche à entendre les prisonniers, dis-je. Mais je ne perçois rien. »

Je levai à nouveau les yeux vers les balcons et les fenêtres luxueusement décorés, les arcs jumeaux, et, çà et là, une longue loggia à claire-voie, mais faite dans un style différent du nôtre.

Je vis des drapeaux flotter, et tous étaient de cette même couleur sang-de-bœuf, souillés de mort. Je baissai les yeux pour la première fois vers mes propres habits de cramoisi brillant.

« Comme du sang frais ? murmurai-je.

— Fais d'abord ce que tu dois faire, dit Mastema. Le crépuscule pourra tomber quand tu iras chercher les prisonniers, mais tu dois tuer tes proies dès maintenant.

— Où sont-elles ? Vas-tu me le dire ?

— En sacrilège délibéré, et selon la coutume ancestrale, ils reposent sous le dallage de l'église. »

Il y eut un grand bruit aigu. Il avait tiré son épée. Il la pointa, tête tournée, son casque rouge enflammé par le reflet du soleil sur les parements de marbre.

« La porte, là-bas, et l'escalier qui se trouve derrière. L'église est au deuxième étage, sur ta gauche. »

Je me dirigeai vers la porte sans plus attendre. Je me précipitai en haut des marches, tournant dans le colimaçon, mes bottes résonnant sur la pierre, ne prenant même pas la peine de regarder s'ils me suivaient, ne me demandant pas comment ils faisaient, sachant seulement qu'ils étaient avec moi, sentant leur présence par leur souffle dans mon dos, alors qu'ils n'avaient pas de souffle.

Enfin, nous arrivâmes dans le large corridor qui donnait à notre droite sur la cour en contrebas. Il y avait une interminable bande de riches tapis devant nous, pleine de fleurs persanes enchâssées dans un fond bleu nuit. Étincelante, luxuriante. Elle filait tout droit puis tournait à un endroit. Au bout du corridor, on apercevait le ciel, parfaitement encadré, et la tache déchiquetée d'une montagne verte au loin.

« Pourquoi t'arrêtes-tu ? » demanda Mastema.

Ils s'étaient matérialisés autour de moi, dans leurs habits flottants, avec leurs ailes toujours en mouvement.

« C'est la porte de l'église ici, tu le sais.

— Je contemple le ciel, Mastema, répondis-je. Je contemple le ciel.

— À quoi penses-tu ? » demanda l'un de mes gardiens de son murmure atone et clair. Il m'agrippa subitement, et je vis ses doigts couleur de parchemin et sans poids posés sur mon épaule. « Tu penses à une prairie qui n'a jamais existé et à une jeune femme qui est morte ?

— Es-tu sans pitié ? » lui demandai-je. Je m'avançai vers lui, au point que nos fronts se touchèrent, et je m'émerveillai de le sentir contre moi et de voir si distinctement ses yeux opalescents.

« Non, pas sans pitié. Mais je suis celui qui rappelle, qui rappelle sans cesse. »

Je me tournai vers les portes de la chapelle. Je tirai sur les deux crochets géants jusqu'à ce que j'entendisse céder le loquet, puis j'ouvris en grand un battant après l'autre, sans savoir pourquoi je me ménageai une retraite aussi large. Peut-être pour faciliter le passage de tous ceux qui m'aidaient.

La vaste nef vide s'étendait devant moi, qui, sans aucun doute, avait accueilli la nuit précédente la bruyante cour baignée de sang, et au-dessus de ma tête se trouvait la tribune du chœur d'où les hymnes les plus éthérés étaient tombés.

Le soleil dardait à travers les fenêtres démoniaques.

Je suffoquai en voyant les êtres palmés si puissamment blasonnés dans les fragments de verre scintillant fracturés et assemblés. Comme ce verre était épais, lourdement facetté, et comme étaient menaçantes les expressions de ces monstres à ailes palmées qui nous lorgnaient comme s'ils allaient prendre vie dans la lumière éclatante du jour et stopper notre progression !

Je n'avais rien d'autre à faire que de détacher mes yeux des leurs, de baisser le regard vers l'étendue de marbre du sol. Je vis le crochet, je le vis semblable à celui du sol de la chapelle de mon père, reposant dans un cercle taillé dans la pierre, un anneau d'or, poli et lissé, si bien qu'il ne saillait pas du sol et qu'on ne risquait pas de trébucher en s'y prenant le pied. Il n'avait pas de cache.

Il marquait simplement de manière catégorique la position de l'unique entrée de la crypte. Un étroit rectangle de marbre taillé au centre du sol de l'église.

Qu'est-ce qui m'arrêta ? Je vis l'autel. À cet instant précis, le soleil frappa la silhouette de Lucifer, l'immense ange rouge surplombant ses masses de fleurs flamboyantes, qui étaient aussi fraîches qu'elles l'avaient été la nuit où j'avais été conduit en ces lieux.

Je le vis, lui et ses yeux jaunes brûlants et féroces, et les crocs d'ivoire qui dépassaient sous sa lèvre supérieure retroussée. Je vis tous les démons à crocs qui ornaient les murs à sa droite et à sa gauche, et leurs yeux parés de bijoux semblaient tous se repaître avidement de la lumière.

« La crypte », dit Mastema.

Je tirai de toutes mes forces. J'étais incapable de faire bouger la dalle de marbre. Aucun être humain n'aurait pu réussir. Il y aurait fallu des attelages de chevaux. J'ajustai la prise de mes deux mains sur l'anneau, mais je ne pus rien de plus. C'était comme essayer de faire bouger les murs.

« Fais-le pour lui ! pressa Ramiel. Faisons-le.

— Ce n'est rien, Mastema ; c'est comme d'ouvrir les portes. »

Mastema tendit la main et m'écarta, si bien que je perdis un instant l'équilibre avant de me rétablir. La longue et étroite trappe de marbre fut lentement soulevée.

Je fus étonné de son poids. Ele faisait plus de deux pieds d'épaisseur. Seul son parement était en marbre, le reste était fait d'une pierre plus lourde, plus sombre, plus dense. Aucun homme, aucun, n'aurait pu la soulever.

Aussitôt, de l'ouverture, surgit une lance, comme propulsée par un ressort caché.

Je sautai en arrière, bien que je n'eusse jamais été assez près pour courir un quelconque danger.

Mastema laissa retomber la trappe sur son dos. Les gonds

se brisèrent aussitôt sous le choc. La lumière emplit l'espace de la crypte. D'autres lances m'attendaient, luisant à la lumière du soleil, obliques, comme si elles avaient été pointées parallèlement à la pente de l'escalier.

Mastema se dirigea vers le sommet de l'escalier.

« Essaie de les écarter, Vittorio, dit-il.

— Il ne peut pas. Et s'il tombe en faisant un faux pas, il va s'embrocher dessus, dit Ramiel. Mastema, écarte-les.

— Laissez-moi faire », dit Setheus.

Je tirai mon épée. Je tranchai la première lance, faisant sauter sa pointe métallique, mais la hampe de bois déchiquetée resta en place.

Je descendis dans la crypte, sentant aussitôt le froid monter et envelopper mes jambes. Je taillai à nouveau dans la hampe et la raccourcis. Puis je la contournai, pour découvrir, de ma main gauche, une paire de lances qui m'attendaient dans le clair-obscur. À nouveau, je levai mon épée, dont le poids me faisait mal au bras.

Mais je les cassai toutes deux à force de coups bien placés, jusqu'à ce que leurs pointes métalliques tombassent à leur tour avec fracas.

Je descendis en me tenant de la main droite afin de ne pas glisser sur les marches, et soudain, avec un grand cri, je basculai au bord de rien, car l'escalier s'interrompait brusquement.

Je rattrapai de ma main droite la hampe de la lance brisée que je serrais déjà dans la main gauche. Mon épée tomba à grand fracas.

« Cela suffit, Mastema, dit Setheus. Aucun être humain ne peut le faire. »

J'étais suspendu, les deux mains nouées autour de ce morceau de bois déchiqueté, interrogeant du regard les anges qui étaient massés à la bouche de la crypte. Si je tombais, je mourrais sans aucun doute, car la chute serait brutale. Si je ne mourais point, je n'en ressortirais jamais vivant.

J'attendais, sans rien dire, bien que mes bras me fissent souffrir atrocement.

Soudain, ils descendirent, silencieusement comme toujours, dans un bruissement de soie et d'ailes, glissant d'un seul mouvement dans la crypte, tous ensemble, et m'entourant, m'enlaçant, pour me transporter dans une douce plongée jusqu'au bas de la salle.

Aussitôt, ils me lâchèrent. Et je tâtonnai dans la pénombre jusqu'à ce que je trouvasse mon épée. Je la tenais maintenant.

Je me relevai, haletant, l'étreignant fermement, et puis je tournai mon regard vers le rectangle bien découpé de lumière au-dessus de moi. Je fermai les yeux, puis j'inclinai la tête et les rouvris lentement de manière à m'accoutumer à cette pénombre humide et profonde. Ici, le château avait sans nul doute été bâti à même le roc, car la salle, bien que vaste, semblait avoir été creusée dans la montagne. Du moins, ce fut l'impression que me donna le mur grossier que je vis devant moi, avant de me tourner vers mes proies, comme Mastema les avait nommées.

Les vampires, les larves — ils étaient allongés sans cercueil, sans caveau, à découvert, en longues rangées. Chaque corps était somptueusement habillé et recouvert d'un fin linceul d'or tissé. Ils bordaient trois murs de la crypte. À l'autre extrémité pendait l'escalier interrompu sur le vide.

Je cillai, je plissai les yeux, et la lumière sembla filtrer plus abondamment sur eux. Je m'approchai de la première silhouette jusqu'à ce que je pusse voir les pantoufles lie-de-vin et les chausses feuille-morte, tout ceci sous le voile, comme si, chaque nuit, de petits vers à soie tissaient ce suaire pour la créature, tant il paraissait fin et solide. Hélas, ce n'était pas cette magie-là ; ces linceuls n'étaient que le meilleur ouvrage des créatures du Seigneur. Ils avaient été tissés sur les métiers des hommes et étaient délicatement ourlés.

J'arrachai le voile.

Je m'approchai des bras croisés de la créature et, à ma surprise horrifiée, je vis s'animer son visage endormi. Ses yeux s'ouvrirent, et un bras gesticula violemment dans ma direction.

Je fus brusquement tiré en arrière, hors de portée de ses

doigts — juste à temps. Je me retournai pour voir Ramiel qui me tenait, puis il ferma les yeux et enfouit son front dans mon épaule.

« Maintenant, tu connais leurs tours. Observe-le. Tu vois. Il replie ses bras à présent. Il pense être en sécurité. Il referme les yeux.

— Qu'est-ce que je fais ? Ah, je vais le tuer ! » dis-je.

Prenant le voile de la main gauche, je levai mon épée de la droite. J'avançai vers le monstre endormi et, cette fois, quand la main s'éleva, je l'emprisonnai dans le voile dont je fis plusieurs tours, tandis que j'abattais mon épée, tel un bourreau sa hache.

Aussitôt la tête roula sur le sol. Un son lamentable en sortit, plus du cou peut-être que de la gorge. Le bras s'affala. À la lumière du jour, il ne pouvait lutter comme il aurait peut-être pu le faire au cœur de la nuit, comme lors de ma première bataille, quand j'avais décapité mon premier assaillant. Ah, j'avais gagné !

J'empoignai la tête, regardant le sang couler par la bouche. Les yeux, s'ils avaient jamais été ouverts, étaient maintenant fermés. Je lançai la tête au centre de la salle, en pleine lumière. Aussitôt, celle-ci commença à consumer la chair.

« Regardez, la tête brûle ! » dis-je. Mais je ne m'interrompis pas.

Je passai au suivant, arrachant le linceul transparent et soyeux d'une femme aux immenses tresses, emportée dans cette mort sinistre à la fleur de l'âge, et, piégeant son bras levé, je lui coupai la tête avec la même furie. Puis, l'attrapant par une tresse, je l'envoyai bouler à côté de celle de son compagnon.

L'autre tête se racornissait et noircissait sous la lumière qui tombait de l'ouverture du plafond.

« Lucifer, vois-tu cela ? » lançai-je. L'écho vint me narguer : « Vois-tu cela ? Vois-tu cela ? Vois-tu cela ? »

Je me précipitai vers le suivant. « Florian ! » m'écriai-je en saisissant le voile.

Terrible erreur.

En entendant son nom, il ouvrit brusquement les yeux avant même que je fusse arrivé à sa hauteur, et, telle une marionnette tirée par un fil, il se serait dressé si je ne lui avais asséné un coup d'épée et fendu la poitrine. Il retomba, le visage sans expression. J'abattis l'épée sur son fin cou de gentilhomme. Ses cheveux blonds s'empoissèrent de sang, ses yeux se révulsèrent et moururent sous mon regard.

Je l'attrapai par ses longs cheveux, cette tête privée de corps, la tête de leur chef à eux tous, de cet ennemi à la langue déliée, et la lançai sur le tas fumant et grésillant.

Je continuai ainsi, descendant la rangée qui se trouvait à ma gauche — pourquoi la gauche, je ne sais, sauf que tel était mon chemin —, et, chaque fois, je soulevais le voile, bondissais férocement, piégeant le bras s'il voulait se lever, mais le devançant parfois si bien qu'il n'en avait pas le temps, et je coupais la tête si vite que je devins négligent et bâclai mes coups : je brisais les mâchoires de mes ennemis, parfois même leurs épaules, mais je les tuais.

Je les tuais.

J'arrachais leurs têtes et les expédiais sur le tas qui fumait si bien à présent qu'il ressemblait à un brasier de feuilles mortes. Des cendres s'en envolaient, de fines particules de cendre, mais pour l'essentiel les têtes dépérissaient, graisseuses et noircies, et la masse s'épaississait. Les cendres étaient peu nombreuses.

Souffraient-ils ? Savaient-ils ? Où leurs âmes avaient-elles fui sur des pieds invisibles en cet instant rude et terrible où leur cour était dissoute, où je rugissais en travaillant, et martelais le sol, et rejetais ma tête en arrière, et pleurais, pleurais jusqu'à ce que je ne pusse plus rien voir à travers mes larmes ?

J'étais venu à bout de vingt d'entre eux, vingt, et mon épée était tellement engluée de sang que je dus l'essuyer. Tandis que je revenais pour faire l'autre côté de la crypte, je l'essuyai sur leurs corps, pourpoint après pourpoint, m'émerveillant de voir combien leurs mains blanches s'étaient racornies et desséchées sur leurs poitrines, combien le sang noir avait coulé si paresseusement de leurs cous tranchés.

« Morts, vous êtes tous morts, et maintenant, où êtes-vous allés, où sont allées les âmes qui vivaient en vous ? »

La lumière déclinait. Je respirais à grands traits. Je levai les yeux vers Mastema.

« Le soleil est encore haut », dit-il gentiment. Il était imperturbable, alors pourtant qu'il se tenait tout près des têtes carbonisées et nauséabondes.

Il semblait que la fumée sortît plus particulièrement de leurs yeux que d'ailleurs, comme si la gelée se consumait plus efficacement.

« L'église est sombre à présent, mais il n'est que midi. Fais vite. Tu en as vingt autres de ce côté, et tu le sais. Au travail. »

Les autres anges restaient parfaitement immobiles, rassemblés en groupe, les magnifiques Ramiel et Setheus dans leurs riches atours et les deux âmes plus simples, plus ordinaire, plus sombres, tous me contemplant dans une attente fébrile. Je vis Setheus regarder le tas de têtes fumantes, puis revenir à moi.

« Continue, pauvre Vittorio, murmura-t-il. Dépêche-toi.

— Pourrais-tu le faire ? demandai-je.

— Je ne peux pas.

— Non, je sais que tu n'en as pas la permission, dis-je, la poitrine rendue douloureuse par l'exercice et les paroles que j'expulsais à présent de moi-même. Je voulais dire : En serais-tu capable ? Pourrais-tu trouver la force de le faire ?

— Je ne suis pas une créature de chair et de sang, Vittorio, répondit piteusement Setheus. Mais je pourrais faire ce que Dieu m'ordonne. » Je m'écartai d'eux. Je me retournai vers leur groupe dans son glorieux éclat, et vers le magnifique Mastema, son armure luisant dans la lumière déclinante, et son épée si brillante à son côté.

Il ne dit rien.

Je me retournai. J'arrachai le premier voile. C'était Ursula.

« Non. » Je reculai.

Je laissai retomber le voile. J'étais suffisamment loin d'elle pour qu'elle ne semblât pas se réveiller ; elle ne bougea pas. Ses bras adorables étaient croisés dans la même pose de mort gracieuse que tous avaient adoptée, sauf que chez elle cette position était charmante, comme si un doux poison l'avait cueillie dans l'innocence de l'enfance, sans chiffonner une seule boucle de ses longues tresses défaites en cascade. Sa chevelure formait un écrin d'or autour de sa tête et de ses épaules, de son cou de cygne.

J'entendis mon souffle rauque. Je laissai retomber la pointe de mon épée, la faisant sonner sur la pierre. Je léchai mes lèvres desséchées. Je n'osais pas les regarder, bien que je susse qu'ils étaient rassemblés à quelques pas seulement de moi et m'observaient. Et, dans l'épais silence, j'entendais les crissements et grésillements des têtes des damnés qui se consumaient.

Je plongeai la main dans ma poche et en sortis le chapelet aux grains d'ambre. Ma main tremblait de honte tandis que je le tenais, puis je le levai, laissant pendre le crucifix, et le lançai vers elle, si bien qu'il atterrit juste au-dessus de ses petites mains, entre les monticules d'albâtre de ses seins à demi découverts. Il s'immobilisa là, le crucifix lové dans la courbe de sa peau laiteuse, et elle n'eut pas le moindre mouvement.

La lumière accrochait ses cils comme si elle était faite de poussière.

Sans m'excuser ni m'expliquer, je passai au suivant, arrachant le voile et l'assaillant avec un cri rauque, sans regarder si c'était un homme ou une femme. J'attrapai la tête coupée par ses épaisses boucles brunes et l'envoyai s'écraser au-delà des anges dans la masse gélatineuse qui gisait à leurs pieds.

Puis au suivant. Godric. Oh, Seigneur, quel bonheur ce sera !

Je vis sa tête chauve avant même de toucher le voile et, à présent, l'arrachant, l'entendant se déchirer du fait de ma hâte, j'attendis qu'il ouvre les yeux, qu'il se hisse à demi de la pierre et me fusille du regard.

Je rugissais : « Tu me reconnais, monstre ? Tu me reconnais ? » L'épée trancha son cou. La tête blanche heurta le sol et, de la pointe de mon épée, je l'embrochai par son moignon de cou dégoulinant. « Tu me reconnais, monstre ? » criai-je de nouveau aux yeux révulsés, à la bouche écarlate, béante et baveuse. « Tu me reconnais ? »

Je l'emmenai jusqu'au tas de têtes et le déposai tel un trophée à son sommet. Je vagis à nouveau : « Tu me reconnais ? »

Puis, plein de fureur, je retournai à mon ouvrage.

Deux de plus, puis trois, puis cinq, puis sept et encore neuf, puis quelque six de plus, et la Cour fut achevée. Tous ses danseurs, ses seigneurs et ses dames étaient morts.

Alors, titubant jusqu'à l'autre côté, j'expédiai promptement ces pauvres domestiques paysans qui n'avaient pas de voile pour recouvrir leur corps, et dont les pâles membres atrophiés pouvaient à peine se dresser pour leur défense.

« Les chasseurs, où sont-ils ?

— Tout au fond. Il fait très sombre là-bas. Prends garde.

— Je les vois », dis-je. Je me redressai et repris mon souffle. Ils reposaient en une rangée de six, tête contre le mur comme les précédents, mais ils étaient dangereusement près les uns des autres. L'approche devrait être prudente.

Je ris soudain de la facilité de l'ouvrage. Je ris. J'arrachai le premier voile et tailladai les pieds. Le corps se dressa et ma lame put aisément voir l'endroit où frapper, tandis que le sang avait déjà commencé à jaillir.

Le deuxième, je le tailladai aussitôt, puis le coupai en deux par le milieu, ne m'attaquant à sa tête qu'au moment où sa main voulut saisir ma lame. Je dégageai mon épée et lui coupai la main. « Meurs, crapule, toi qui m'as volé avec tes compères ; je me souviens de toi. »

Enfin j'arrivai au dernier, et sa tête barbue pendit bientôt au bout de mon bras.

Lentement, je revins avec celle-ci, chassant d'autres têtes du pied devant moi, d'autres têtes que je n'avais pas eu la force de jeter bien loin, et je les poussai comme autant de détritus jusqu'à ce que la lumière les touchât toutes.

Il faisait grand jour à présent. Le soleil de l'après-midi

pénétrait par le flanc ouest de l'église. Et l'ouverture de la crypte laissait passer une chaleur terrible et fatale.

Lentement, je m'essuyai le visage du revers de la main gauche. Je déposai mon épée et cherchai les serviettes que les moines avaient glissées dans mes poches. Je les sortis et j'essuyai mon visage et mes mains.

Puis je repris mon épée et retournai au pied du catafalque d'Ursula. Elle y reposait comme auparavant. La lumière ne l'approchait pas. Elle n'aurait pu toucher aucun d'entre eux tels qu'ils étaient disposés.

Elle était en sécurité sur son lit de pierre, les mains aussi tranquilles qu'auparavant, la droite par-dessus la gauche, doigts joliment pliés, et entre les rondeurs de ses seins blancs reposait le Christ crucifié en or. Ses cheveux oscillaient dans un léger courant d'air qui semblait provenir de l'étroite ouverture du plafond. Mais ce n'était qu'une simple auréole de vrilles autour de son visage par ailleurs inerte.

Ses cheveux, en souples cascades, sans rubans ni perles, avaient glissé des bords de son catafalque, tant il était étroit, tout comme les plis de sa longue robe brodée d'or. Ce n'était pas celle qu'elle portait quand je l'avais vue. Seul le rouge profond, sang de bœuf, était le même, mais tout le reste était magnifique, neuf et ouvragé, comme si elle avait été une princesse royale, toujours prête pour le baiser de son prince charmant.

« L'Enfer pourrait-il recevoir ceci ? » murmurai-je. Je m'approchai aussi près que je l'osai. Je ne supportais pas l'idée de voir son bras se lever de cette manière mécanique, le brusque serrement de ses doigts dans le vide, ou l'ouverture de ses yeux. Je ne le supportais pas.

Les pointes de ses pantoufles étaient petites sous son ourlet. Comme elle avait dû se coucher délicatement pour son repos au lever du soleil ! Qui avait refermé la trappe, dont les chaînes étaient tombées ? Qui avait dressé le piège des lances, dont je n'avais pas examiné le mécanisme, ni physiquement ni en pensée ?

Pour la première fois, je distinguai dans la pénombre un

minuscule bandeau doré autour de sa tête, attaché par de toutes petites épingles fichées dans les ondulations de sa chevelure, dont l'unique perle reposait sur son front. Une si petite chose !

Son âme était-elle si petite ? L'Enfer la prendrait-il, comme le feu prendrait toute la tendre chair de son anatomie, comme le soleil brûlerait jusqu'à l'horreur son visage immaculé ?

Dans le sein d'une femme elle avait autrefois dormi et rêvé, et dans les bras d'un père elle avait été bercée.

Quelle avait été sa tragédie pour arriver dans cette tombe infâme et nauséabonde, où les têtes de ses compagnons massacrés se consumaient lentement sous la lumière toujours patiente, toujours indifférente, du soleil ?

Je me tournai vers eux. Je tenais mon épée pendante à mes côtés.

« Une seule, laissez-en vivre une. Une seulement ! » dis-je.

Ramiel se couvrit le visage et me tourna le dos. Setheus continua de me regarder, mais secoua la tête. Mes gardiens se contentèrent de me contempler avec leur froideur habituelle, comme ils l'avaient toujours fait. Mastema me dévisageait, sans un mot, cachant les pensées qui pouvaient l'animer derrière le masque de sérénité de son visage.

« Non, Vittorio, dit-il. Penses-tu qu'une troupe d'anges de Dieu t'a aidé à franchir ces obstacles pour laisser vivre une seule de ces créatures ?

— Mastema, elle m'aimait. Et je l'aime. Mastema, elle m'a donné ma vie. Mastema, je le demande au nom de l'amour. Tout le reste n'a été que justice. Mais que puis-je dire à Dieu si j'assassine celle-ci, qui a aimé et que j'aime ? »

Rien dans son attitude ne changea. Il me dévisagea seulement avec son calme impavide. J'entendis un bruit terrible. C'étaient les pleurs de Ramiel et de Setheus. Mes gardiens se tournèrent vers eux, comme s'ils étaient surpris, mais à peine seulement, puis leurs doux yeux rêveurs se fixèrent à nouveau, imperturbables, sur moi.

« Anges sans pitié, dis-je. Oh ! mais c'est injuste, et je le sais. Je mens. Je mens. Pardonnez-moi.

— Nous te pardonnons, dit Mastema. Mais tu dois faire ce que tu m'as promis de faire.

— Mastema, peut-elle être sauvée ? Si elle-même renonce... peut-elle... son âme est-elle toujours humaine ? »

Nulle réponse ne sortit de lui. Rien.

« Mastema, s'il te plaît, réponds-moi. Ne vois-tu pas ? Si elle peut être sauvée, je peux rester ici avec elle, je peux l'obtenir d'elle, je sais que je le peux parce que son cœur est bon. Il est jeune et bon. Mastema, dis-moi ! Une créature comme elle peut-elle être sauvée ? »

Pas de réponse. Ramiel avait posé la tête sur l'épaule de Setheus.

« Oh, s'il te plaît, Setheus ! fis-je. Dis-moi. Peut-elle être sauvée ? Doit-elle mourir de ma main ? Et si je reste ici avec elle, et si j'obtiens d'elle sa confession, son désaveu entier de tout ce qu'elle a pu faire ? N'y a-t-il aucun prêtre qui puisse lui donner l'absolution ? Oh, Seigneur...

— Vittorio, murmura Ramiel. As-tu les oreilles bouchées à la cire ? N'entends-tu pas ces prisonniers qui meurent de faim et se lamentent ? Tu ne les as pas encore libérés. Le feras-tu la nuit venue ?

— Je peux le faire. Je peux encore le faire. Mais ne puis-je rester ici avec elle, et quand elle découvrira qu'elle est toute seule, que tous les autres ont péri, que toutes les promesses de Godric et de Florian étaient une tyrannie, n'y aura-t-il aucun moyen pour elle de remettre son âme à Dieu ? »

Sans même l'ombre d'un changement dans ses yeux doux et froids, Mastema me tourna lentement le dos.

« Non ! Ne faites pas cela, ne vous détournez pas ! » criai-je. Je saisis son puissant bras vêtu de soie. Je sentis sa force insurmontable sous le tissu, le tissu étrange, surnaturel. Il me toisa.

« Pourquoi ne pouvez-vous me le dire ?

— Pour l'amour de Dieu, Vittorio ! rugit-il soudain, sa

voix emplissant toute la crypte. Tu ne comprends donc pas ? Nous l'ignorons ! »

Il m'écarta d'une secousse, pour mieux me fusiller du regard, sourcils froncés, la main crispée sur la poignée de son épée.

« Notre espèce n'a jamais eu à connaître le pardon ! hurla-t-il. Nous ne sommes pas faits de chair et de sang ; dans notre royaume, les choses sont Lumière ou Ténèbres, voilà tout ce que nous savons ! »

Pris de fureur, il fit demi-tour et marcha sur elle. Je me précipitai à sa suite, essayant de le retenir, mais sans pouvoir faire fléchir le moins du monde sa résolution.

Il plongea la main vers elle, évitant qu'elle l'agrippe, et empoigna son cou gracile. Les yeux d'Ursula le contemplèrent dans ce terrible, terrible aveuglement.

« Elle a une âme humaine », dit-il dans un murmure. Puis il se redressa comme s'il ne voulait pas la toucher, ne pouvant supporter de la toucher, et recula, m'entraînant avec lui, me forçant à m'écarter en même temps que lui.

Je fondis en larmes. Le soleil vira et les ombres commencèrent à grandir dans la crypte. Je me retournai enfin. Le carré de lumière au plafond était pâle. Il était d'une blondeur riche et radieuse, mais il était pâle.

Mes anges étaient tous rassemblés et m'observaient en attendant.

« Je reste ici avec elle, dis-je. Elle se réveillera bientôt. Et je l'inviterai à prier pour la grâce divine. »

Je ne le sus qu'au moment où je le disais. Je ne le compris qu'au moment où je l'exprimais.

« Je vais rester auprès d'elle. Si elle renonce à tous ses péchés pour l'amour du Seigneur, alors elle pourra demeurer avec moi, et la mort viendra, et nous ne ferons rien pour la hâter, et Dieu nous acceptera tous deux.

— Tu penses avoir la force de faire cela ? demanda Mastema. Et tu le penses pour elle ?

— Je le lui dois, dis-je. Il le faut. Je ne vous ai jamais menti, à aucun d'entre vous. Je ne me suis jamais menti à moi-même. Elle a tué mon frère et ma sœur. Je l'ai vue.

Aucun doute qu'elle en ait tué beaucoup d'autres, des miens. Mais elle m'a sauvé. Elle m'a sauvé deux fois. Et tuer est si simple, mais sauver ne l'est pas !

— Ah ! dit Mastema comme si j'avais marqué un point décisif. C'est vrai.

— Je reste donc. Je n'attends plus rien de vous. Je sais que je ne peux sortir d'ici. Peut-être elle-même ne le peut-elle pas.

— Bien sûr qu'elle le peut.

— Ne le laisse pas, dit Setheus. Emmène-le contre sa volonté.

— Aucun de nous ne peut faire cela, et tu le sais, dit Mastema.

— Seulement hors de la crypte, supplia Ramiel, comme hors d'un gouffre où il serait tombé.

— Mais tel n'est pas le cas, et je ne peux pas.

— Alors permets-nous de rester avec lui.

— Oui, permets-nous de rester, dirent mes deux gardiens, plus ou moins au même moment et de la même voix atone.

— Laisse-la nous voir.

— Comment savons-nous qu'elle le peut ? demanda Mastema. Comment savons-nous qu'elle le fera ? Combien de fois arrive-t-il qu'un être humain puisse nous voir ? »

Pour la première fois je discernai de la colère en lui. Il me regarda.

« Dieu a joué un tel jeu avec toi, Vittorio ! dit-il. Il t'a donné de tels ennemis et de tels alliés !

— Oui, je le sais, et je vais Le supplier de toutes mes forces et du poids de toutes mes souffrances pour son âme. »

Je ne voulais pas fermer les yeux.

Je sais que je ne le fis pas.

Mais la scène tout entière fut soudain altérée. Le tas de têtes gisait comme auparavant, certaines, çà et là, se racornissant, se desséchant, l'âcre fumée s'élevant toujours au-dessus d'elles, et la lumière d'en haut s'était assombrie, cependant qu'elle demeurait dorée, dorée au-delà de l'escalier brisé et des hampes déchiquetées, dorée des derniers restes calcinés de la fin de l'après-midi.

Et mes anges avaient disparu.

12

NE ME SOUMETS PAS À LA TENTATION

Malgré ma grande jeunesse, mon corps était épuisé. Cependant, comment pouvais-je rester dans cette crypte, à attendre son réveil, sans tenter de trouver une issue ?

Je ne songeais pas au départ de mes anges. Je le méritais, mais j'étais convaincu de la justesse de la chance que j'entendais offrir à Ursula, qu'elle s'abandonne à la grâce de Dieu, que nous quittions cette crypte et, si nécessaire, que nous trouvions le prêtre qui pourrait absoudre son âme humaine de tous ses péchés. Car si elle ne pouvait faire une confession parfaite pour le seul amour de Dieu, eh bien, alors, l'absolution la sauverait certainement.

Je fouillai de-ci de-là dans la crypte, circulant entre les corps qui se desséchaient. Le peu de lumière qu'il y avait luisait sur les mares de sang qui couraient entre les catafalques de pierre.

Enfin je trouvai ce que j'avais espéré trouver, une immense échelle qui pouvait être dressée jusqu'au plafond. Seulement, comment pouvais-je manipuler pareil objet ?

Je la traînai vers le centre de la crypte, écartant de mon chemin les têtes qui étaient maintenant irrémédiablement endommagées. Je déposai l'échelle, pris place à mi-longueur, entre deux barreaux, et essayai de la lever.

Impossible. Je manquais tout simplement de levier. Elle pesait trop lourd, si fine qu'elle fût, à cause de sa longueur. Trois ou quatre hommes solides auraient peut-être pu la soulever suffisamment pour accrocher son barreau supérieur aux lances brisées, mais, seul, j'en étais incapable.

Il y avait encore une autre possibilité. Une chaîne, ou une corde, qui pût être accrochée aux lances. Je fouillai la pénombre à la recherche d'un tel article, mais n'en trouvai aucun.

Pas de chaîne ici ? Pas un seul rouleau de corde ?

Est-ce que les plus jeunes larves étaient capables de bondir du sol jusqu'aux marches ?

Enfin, j'auscultai les murs à la recherche d'une bosse, d'un crochet, d'une quelconque excroissance qui pourrait indiquer une resserre ou, ce qu'à Dieu ne plaise, une autre crypte pleine d'ennemis.

Mais je ne trouvai rien.

Finalement, je revins en titubant jusqu'au centre de la salle. Je rassemblai toutes les têtes, y compris le répugnant crâne chauve de Godric, qui était maintenant noir comme du cuir, avec ses yeux jaunes, et les empilai là où la lumière ne manquerait pas de poursuivre son travail sur elles.

Puis, trébuchant sur l'échelle, je tombai à genoux au pied du catafalque d'Ursula.

Je m'effondrai. J'allais dormir un court moment. Non, pas dormir, me reposer.

Sans le vouloir, le craignant même et le regrettant, je sentis mes membres s'amollir et, tandis que je reposais sur le sol de pierre, mes yeux se fermèrent pour un heureux sommeil réparateur.

Comme c'était curieux.

J'avais pensé que ses cris me réveilleraient, que telle une enfant effarouchée elle se serait assise dans l'obscurité sur le catafalque, se découvrant seule au milieu de tant de cadavres.

J'avais pensé que la vue des têtes entassées la terrifierait.

Mais il ne se produisit rien de tel.

Le crépuscule emplissait l'espace, violet, comme les fleurs de la prairie, et elle se tenait au-dessus de moi. Elle avait le chapelet autour du cou, ce qui n'est pas commun, et le portait comme un bijou, le crucifix doré virevoltant dans la lumière, étincelle d'or scintillant qui répondait aux étincelles de ses yeux.

Elle souriait.

« Mon courageux, mon héros, viens, quittons ce lieu de mort. Tu l'as fait, tu les as vengés.

— As-tu remué les lèvres ?

— Ai-je besoin de le faire avec toi ? »

Je sentis un frisson me parcourir tandis qu'elle me relevait. Elle scrutait mon visage, étreignant mes épaules de ses deux mains.

« Bienheureux Vittorio », dit-elle. Puis, me serrant par la taille, elle s'éleva dans l'air, et nous dépassâmes les lances brisées, sans même effleurer leurs extrémités déchiquetées, et nous retrouvâmes dans la chapelle crépusculaire où les vitraux éteints et les ombres dansaient gracieusement mais miséricordieusement autour du lointain autel.

« Oh ! ma chérie, ma chérie, dis-je. Sais-tu ce que les anges ont fait ? Sais-tu ce qu'ils ont dit ?

— Viens, allons libérer les prisonniers comme tu le souhaitais », me dit-elle.

Je me sentais si revigoré, si plein de force, comme si la guerre ne m'avait pas épuisé et brisé tout entier, comme si la bataille et la lutte n'avaient pas été mon lot depuis des jours.

Je me précipitai avec elle à travers le château. Nous ouvrîmes les portes les unes après les autres sur les misérables occupants de la bergerie. Ce fut elle qui fila de son pas léger et félin sur les chemins de l'orangeraie, sous les volières, renversant les chaudrons de soupe, criant aux pauvres, aux boiteux et aux désespérés qu'ils étaient libres, que plus personne ne les retenait prisonniers.

En un clin d'œil nous montâmes sur un haut balcon. Je vis tout en bas leur misérable procession dans la pénombre, leur longue file sinueuse qui descendait la montagne sous un ciel pourpre et l'étoile du berger. Le faible aidait le fort ; le vieux portait le jeune.

« Où vont-ils aller ? Vont-ils retourner dans cette ville maudite ? Chez les monstres qui les ont livrés aux sacrifices ? » Je fus soudain pris de rage. « Eux aussi doivent être punis, châtiés !

— En temps voulu, Vittorio ; le temps viendra. Ces malheureuses victimes sont libres à présent. C'est notre moment, à toi et moi, viens. »

Ses jupes s'élargirent en un immense cercle sombre tandis que nous descendions en vol plané, passant devant les fenêtres et les murs, jusqu'à ce que mes pieds fussent autorisés à toucher le sol meuble.

« Oh, Seigneur Dieu, c'est la prairie, regarde, la prairie, dis-je. Je la vois aussi distinctement sous la lune ascendante que je l'ai jamais vue dans mes rêves. »

Une douceur soudaine m'envahit complètement. Je l'enlaçai, enfonçant profondément mes doigts dans la cascade de sa chevelure. Le monde entier semblait osciller autour de moi, et j'étais entraîné dans la danse avec elle, tandis que le doux mouvement aérien des arbres chantait notre union.

« Rien ne pourra plus jamais nous séparer, Vittorio », dit-elle. Elle se détacha et courut devant moi.

« Non, attends, Ursula, attends ! » m'écriai-je. Je courus après elle, mais l'herbe et les iris étaient hauts et denses. Ce n'était pas tout à fait comme dans le rêve, bien que si, car ces choses étaient vivantes et pleines de l'arôme verdoyant de la nature, et la sylve dressait gentiment ses membres dans le vent parfumé.

Je m'abattis, épuisé, et laissai les fleurs me déborder de part et d'autre, les iris se pencher sur mon visage tourné vers le ciel.

Elle s'agenouilla au-dessus de moi. « Il me pardonnera, Vittorio, dit-elle. Il pardonnera tout dans Son infinie miséricorde.

— Oh, oui ! mon amour, mon bel amour béni, ma sauveuse. Il le fera. »

Le minuscule crucifix pendilla contre mon cou.

« Mais tu dois faire cela pour moi, toi qui m'as laissée vivre là, en bas, toi qui m'as épargnée et t'es endormi au pied de ma tombe, tu dois faire cela...

— Quoi, mon ange béni ? demandai-je. Dis-le-moi et je le ferai.

— Prie d'abord pour avoir la force, puis, dans ton corps

humain, dans ton corps sain et baptisé, tu dois accueillir autant de sang de démon sorti de moi que tu le peux, tu dois le tirer de moi et libérer ainsi mon âme de son sortilège ; il sera vomi par toi comme les potions que nous t'avons administrées, ce qui ne peut pas te faire de mal. Le feras-tu pour moi ? Ôteras-tu le poison qui est en moi ? »

Je songeai aux haut-le-cœur, au vomi qui avait coulé de ma bouche au monastère. Je songeai à tout cela, aux bredouillements incohérents et à la folie.

« Fais-le pour moi », dit-elle.

Elle était allongée contre moi et je sentais son cœur palpiter dans sa poitrine, et je sentais le mien, et il semblait que je n'eusse jamais connu pareille langueur rêveuse. Je sentais mes doigts se refermer. Un instant, il sembla qu'ils reposaient sur des pierres dures dans cette prairie, comme si le dos de mes mains avait trouvé un rude gravier, mais à nouveau je sentis les tiges brisées, le lit d'iris pourpres, jaunes et violets.

Elle leva la tête.

« Au nom du Seigneur, dis-je, pour ton salut, j'absorberai n'importe quel poison venant de toi ; je sucerai ton sang comme celui d'un chancre, comme s'il était la corruption de la lèpre. Donne-le-moi, donne-moi le sang. »

Son visage était immobile au-dessus du mien, si petit, si délicat, si blanc.

« Sois brave, mon amour, sois brave, car je dois d'abord lui faire de la place. »

Elle se blottit contre mon cou, et ses dents pénétrèrent ma chair. « Sois brave, encore un petit peu pour faire de la place.

— Un petit peu ? murmurai-je. Un petit peu. Ah ! Ursula, lève les yeux, lève les yeux vers le Ciel et l'Enfer làhaut, car les étoiles sont des boules de feu suspendues là par les anges. »

Mais le langage était étiré, dépourvu de sens, et devint un écho dans mes oreilles. Une ombre m'enveloppa et, quand je levai la main, il me sembla qu'un filet d'or la recouvrait, et je voyais au loin, très loin, mes doigts enveloppés dans ses mailles.

La prairie fut soudain inondée de lumière. Je voulus me libérer, me relever, lui dire : Regarde, le soleil est revenu, et il ne te blesse pas, ma précieuse. Mais sans cesse revenaient ces vagues de plaisir, divines et délicieuses, qui me traversaient, arrachées à moi, arrachées à mes reins, ce plaisir enjôleur et magnifique.

Quand ses dents s'écartèrent de ma chair, c'était comme si elle avait affermi la prise de son âme sur mes organes, sur toutes les parties de moi qui étaient homme et bébé autrefois, et humain à présent.

« Oh, mon amour, ma chérie, n'arrête pas ! » Le soleil fit une danse ahurissante dans les branches des marronniers.

Elle ouvrit la bouche, et d'elle coula le flot de sang, le sombre et profond baiser de sang. « Prends-le de moi, Vittorio.

— Tous tes péchés en moi, divine enfant, dis-je. Oh ! Seigneur, aidez-moi. Seigneur, ayez pitié de moi. Mastema... »

Mais le mot fut brisé. Ma bouche était pleine de sang, et ce n'était pas une mixture fétide, mais cette douceur perçante et saisissante qu'elle m'avait donnée pour la première fois dans ses baisers les plus secrets et les plus déroutants. Sauf que, cette fois, elle coulait en un flot irrésistible.

Ses bras étaient glissés sous moi. Ils me soulevaient. Le sang semblait ne pas se préoccuper de mes veines mais emplir mes membres eux-mêmes, emplir mes épaules et ma poitrine, inonder et tonifier mon cœur même. Je comtemplais le jeu du soleil étincelant, je sentais ses cheveux doux et aveuglants devant mes yeux, mais je voyais à travers leurs mèches dorées. Ma respiration se faisait par hoquets.

Le sang coula dans mes jambes et les emplit jusqu'aux orteils. Mon corps explosait de puissance. Mon organe pompait contre elle, et une fois de plus je sentis son subtil poids félin, ses membres sinueux qui m'enlaçaient, me serraient, me ployaient, ses bras croisés sous moi, ses lèvres scellées contre les miennes.

Mes yeux luttèrent, s'écarquillèrent, la lumière du soleil les inonda, puis reflua. Elle reflua et ma vue sembla devenir immense, et les battements de mon cœur me revenir en écho, comme si nous n'étions pas sur une prairie sauvage, mais que les sons qui provenaient de mon corps survolté, de mon corps transformé, de mon corps si plein de son sang, rebondissaient sur des murs de pierre !

La prairie avait disparu ou n'avait jamais été. Le crépuscule était un rectangle loin au-dessus de nous. Je gisais dans la crypte.

Je me levai, la repoussant loin de moi tandis qu'elle hurlait de douleur. Je me levai d'un bond et contemplai mes mains blanches tendues en avant.

Une faim horrible s'éleva en moi, une force sauvage, un hurlement !

Je fixai le rectangle de sombre lumière pourpre et hurlai.

« Tu me l'as fait ! Tu m'as changé en l'un des tiens ! »

Elle sanglotait. Je me tournai vers elle. Elle recula, pliée en deux, une main couvrant sa bouche, pleurant et me fuyant. Je la poursuivis. Elle s'enfuit tel un rat, sillonnant la crypte en sanglotant.

« Vittorio, non, Vittorio, non, Vittorio, non, ne me fais pas mal ! Vittorio, je l'ai fait pour nous ; Vittorio, nous sommes libres. Ah, Seigneur, aidez-moi ! »

Et puis elle s'envola, échappant de peu à mes bras tendus. Elle s'était réfugiée dans la chapelle.

« Sorcière, monstre, larve, tu m'as trompé avec tes illusions, avec tes visions, tu m'as rendu pareil à toi, tu l'as fait ! » Mes rugissements résonnaient les uns contre les autres tandis que je tâtonnais dans l'obscurité jusqu'à ce que je trouvasse mon épée. Alors, sautillant en arrière pour prendre de l'énergie, je fis le saut à mon tour, dépassai les lances et me retrouvai perché sur le sol de l'église où elle planait, les yeux pleins de larmes brillantes, devant l'autel.

Elle recula dans le massif de fleurs rouges qu'on devinait à peine à la lueur des étoiles qui traversait les vitraux obscurcis.

« Non, Vittorio, ne me tue pas, ne le fais pas ! Non,

gémissait-elle en sanglotant. Je suis une enfant, comme toi, s'il te plaît, ne le fais pas ! »

Je me jetai sur elle, et elle alla se réfugier au fond du sanctuaire. De rage, je frappai la statue de Lucifer de mon épée. Elle oscilla et bascula, se brisant sur le sol de marbre du sanctuaire maudit.

Ursula était partie à l'autre extrémité. Elle se jeta à genoux et tendit les mains. Elle secoua la tête, ses cheveux volant follement tout autour.

« Ne me tue pas, ne me tue pas, ne me tue pas ! Tu m'enverrais en Enfer si tu le faisais ; ne le fais pas !

— Scélérate ! grondai-je. Scélérate ! » Mes larmes coulèrent aussi librement que les siennes. « J'ai soif, scélérate. J'ai soif et je les sens, les esclaves de la bergerie. Je les sens, je sens l'odeur de leur sang, maudite ! »

Moi aussi, j'étais tombé à genoux. Je gisais sur le marbre, repoussant les fragments brisés de la hideuse statue. De la pointe de mon épée, j'accrochai la broderie de la nappe d'autel et la fis tomber avec toutes ses fleurs rouges qui cascadèrent sur moi, si bien que je pus rouler dessus et enfoncer mon visage dans leur douceur.

Un silence tomba, un silence terrible plein de mes gémissements. Je sentais ma force, la sentais même dans le timbre de ma voix, et dans le bras qui tenait l'épée sans fatigue ni entrave, et la sentais dans le calme indolore avec lequel je gisais sur ce qui aurait dû être froid, et n'était pas froid, ou seulement agréablement froid.

Oh, elle m'avait rendu puissant !

Un parfum me submergea. Je levai les yeux. Elle se tenait juste au-dessus de moi, tendre, aimante créature qu'elle était, avec ses yeux si pleins de la lumière des étoiles à présent, si brillants, si tranquilles, si sereins. Dans ses bras, elle tenait un jeune humain, un faible d'esprit, qui ne savait pas quel danger il courait.

Comme il était rose et succulent, comme il ressemblait à un cochonnet offert à mes lèvres, comme il était plein de sang mortel naturellement chaud, bouillonnant et appétissant ! Elle le déposa devant moi.

Il était nu, petites fesses posées sur les talons, sa poitrine tremblante très rose, ses cheveux, noirs et longs, tout doux autour de son visage candide. Il semblait rêver ou fouiller l'obscurité, à la recherche d'anges, peut-être ?

« Bois, mon chéri, bois de lui, dit-elle, et tu auras alors la force de nous emmener tous les deux auprès du Bon Père pour la confession. »

Je souris. Mon désir du simple d'esprit qui était devant moi allait presque au-delà de ce que je pouvais supporter. Mais c'était une histoire entièrement nouvelle à présent, n'est-ce pas, ce que je pourrais endurer, et je pris mon temps, me hissant sur les coudes en la dévisageant.

« Au Bon Père ? Tu crois que c'est là que nous irons ? Tout de suite, comme ça, tous les deux ? »

Elle se remit à pleurer. « Non, pas tout de suite, non, pas tout de suite », dit-elle. Elle secoua la tête. Vaincue.

Je pris l'enfant. Je lui brisai le cou et y bus jusqu'à la dernière goutte. Il ne fit pas un bruit. Il n'y eut pas de temps pour la crainte, la douleur ou les larmes.

Oublions-nous jamais le premier meurtre ? L'oublions-nous jamais ?

Je passai toute cette nuit dans la bergerie, dévorant, festoyant, me repaissant de ces gorges, prenant ce que je voulais de chacun, l'envoyant à Dieu ou en Enfer — comment aurais-je pu savoir ? —, voué dorénavant à cette terre avec elle, tandis qu'elle m'accompagnait avec sa délicatesse coutumière, guettant sans cesse mes hurlements et mes gémissements, ne cessant de m'attraper pour m'embrasser et m'amadouer de ses sanglots quand je tremblais de rage.

« Sortons d'ici », ordonnai-je.

C'était juste avant l'aube. Je lui dis que je ne passerais pas le jour sous ces tours pointues, dans cette maison des horreurs, dans ce lieu du mal et de ma naissance à l'abomination.

« Je connais une grotte, dit-elle. Tout en bas des montagnes, au-delà des terres cultivées.

— Oui, quelque part au bord d'une véritable prairie ?

— Il y a d'innombrables prairies dans ce beau pays, mon

amour, dit-elle. Et sous la lune leurs fleurs brillent aussi joliment pour nos yeux magiques qu'elles le font pour les humains à la lumière du soleil de Dieu. Souviens-toi que Sa lune nous appartient.

« Et demain soir... avant de penser au prêtre... tu dois prendre le temps de penser au prêtre...

— Ne te moque pas de moi ! Montre-moi comment on vole. Prends-moi dans tes bras et montre-moi comment sauter sans mal depuis ces hauts murs, en un bond qui briserait les membres d'un humain. Ne me parle plus de prêtres. Ne te moque pas de moi !

— ... avant que tu ne penses au prêtre, à la confession, poursuivit-elle, sans se laisser décourager, de sa douce petite voix, ses yeux débordants de larmes d'amour, nous retournerons à la ville de Santa Maddalena pendant son sommeil et la brûlerons tout entière. »

13

LA JEUNE FIANCÉE

Nous n'incendiâmes pas Santa Maddalena. C'était un trop grand plaisir que de hanter la ville.

La troisième nuit, j'avais cessé de pleurer au soleil levant, lorsque nous nous retirions ensemble, enlacés dans les bras l'un de l'autre, à l'intérieur de notre grotte cachée et inaccessible.

Et, dès la troisième nuit, les habitants de la ville surent ce qui leur était échu — comment leur astucieux marché avec le Diable s'était retourné contre eux —, et ils étaient saisis de panique : c'était un fameux jeu que de les surprendre, de se cacher dans la multitude d'ombres que créaient leurs rues sinueuses et de forcer leurs verrous les plus ingénieux ou les plus extravagants.

Aux petites heures du matin, quand personne n'osait bouger, et que le bon prêtre franciscain était à genoux dans sa cellule pour dire son rosaire et supplier Dieu de lui faire comprendre ce qui se passait — ce prêtre, souvenez-vous, qui m'avait rendu une amicale visite à l'auberge, qui avait déjeuné avec moi et m'avait mis en garde, non pas avec colère comme son frère dominicain, mais avec gentillesse —, tandis que ce prêtre priait, donc, je me glissais dans l'église franciscaine et je priais, moi aussi.

Mais chaque nuit je me disais ce qu'un homme se dit tout bas à lui-même quand il couche avec sa putain adultère : « Une nuit de plus, Seigneur, puis j'irai à confession. Une nuit d'extase encore, Seigneur, puis je retournerai auprès de mon épouse. »

Les habitants de la ville n'avaient pas une chance contre nous.

Les talents que je n'acquis pas naturellement et à force d'expérience, ma chère Ursula me les enseigna avec patience et grâce. Je pouvais sonder un esprit, trouver un péché et le manger d'un coup de langue tandis que je suçai le sang d'un marchand fourbe et paresseux qui avait autrefois abandonné ses jeunes enfants au mystérieux seigneur Florian, qui avait maintenu la paix.

Une nuit, nous découvrîmes que les habitants de la ville s'étaient rendus de jour au château abandonné. Il y avait des traces d'effraction, mais peu d'objets avaient été volés ou même dérangés. Comme ils avaient dû les effrayer, les saints horribles qui flanquaient toujours le socle du Lucifer déchu dans l'église ! Ils ne s'étaient pas emparés des chandeliers d'or, ni du vieux tabernacle dans lequel je découvris, en y passant la main, un cœur humain desséché.

Lors de notre ultime visite à la cour du Graal rubis, je sortis les têtes racornies des vampires et les expédiai comme autant de cailloux à travers le verre teinté des vitraux. C'en était fini de l'art brillant du château.

Ensemble, Ursula et moi parcourûmes les appartements du château, que je n'avais jamais aperçus, ni même imaginés, et elle me montra les salles où les membres de la Cour se réunissaient pour jouer aux dés ou aux échecs, ou pour écouter de petits ensembles de musique. Çà et là, nous vîmes des traces de vol — une courtepointe arrachée à un lit et un oreiller tombé à terre.

Mais, manifestement, les habitants de la ville étaient plus effrayés que rapaces. Ils n'avaient pas pillé le château.

Et comme nous continuions de fondre sur eux, les vainquant habilement, ils commencèrent à fuir Santa Maddalena. Des boutiques restaient béantes quand nous descendions dans les rues désertes à minuit ; des fenêtres étaient ouvertes, des berceaux vides. L'église dominicaine avait été désaffectée et abandonnée, son autel de pierre emporté. Les prêtres couards, auxquels je n'avais pas fait l'aumône d'une mort rapide, avaient abandonné leur troupeau.

Le jeu devint toujours plus excitant pour moi. Car, à présent, ceux qui restaient étaient querelleurs et avaricieux, refusant de céder sans se battre. Il était facile de séparer les innocents, qui avaient foi en le cierge allumé ou les saints pour les protéger, de ceux qui avaient joué avec le Diable et montaient à présent une garde inquiète dans l'obscurité, l'épée à la main.

J'aimais leur parler, disputer avec eux verbalement, tandis que je les tuais. « Pensiez-vous que votre jeu durerait éternellement ? Croyiez-vous que les créatures que vous nourrissiez ne se nourriraient jamais de vous ? »

Quant à mon Ursula, elle n'avait aucun goût pour pareil sport. Elle ne supportait pas le spectacle de la souffrance. La vieille communion du sang dans le château ne lui avait été tolérable qu'à cause de la musique, de l'encens et de l'autorité suprême de Florian et de Godric qui l'y avaient guidée à chaque pas.

Nuit après nuit, tandis que la ville se vidait lentement, tandis que Santa Maddalena, ma ville école, s'enfonçait dans la ruine, Ursula se mit à jouer avec les petits orphelins. Elle s'asseyait parfois sur les marches de l'église pour bercer un enfant humain, gazouiller avec lui et lui raconter des histoires en français.

Elle chantait aussi de vieilles cantilènes en latin des cours de son temps, qui avait été deux siècles plus tôt, me dit-elle, et elle parlait de batailles en France et en Allemagne dont les noms ne me disaient rien.

« Ne joue pas avec les enfants, disais-je. Ils s'en souviendront. Ils se souviendront de nous. »

Deux semaines passèrent avant que la communauté ne fût irrémédiablement détruite. Seuls restèrent les orphelins et quelques-uns des très âgés, et le franciscain, ainsi que son père, le vieil homme à l'air de lutin qui s'installait le soir dans sa chambre illuminée et faisait des réussites, comme s'il n'avait toujours pas la moindre idée de ce qui se passait.

La quinzième nuit, si mes souvenirs sont bons, quand

nous arrivâmes dans la ville, nous sûmes très vite que seules deux personnes y étaient restées. Nous entendions le vieux bonhomme chantonner dans l'auberge vide aux portes ouvertes. Il était très saoul, et sa tête rose et pleine de sueur luisait à la lumière de la chandelle. Il abattait les cartes sur la table en cercle, faisant une réussite appelée « l'horloge ».

Le prêtre franciscain était assis à côté de lui. Il leva les yeux vers nous, calme et sans crainte, quand nous entrâmes dans l'auberge.

J'étais terrassé par la faim, une faim dévorante de leur sang à tous les deux.

« Je ne vous ai jamais dit mon nom, n'est-ce pas ? me demanda-t-il.

— Non, vous ne l'avez jamais fait, mon père, répondis-je.

— Joshua, dit-il. Tel est mon nom, Fra Joshua. Le restant de la communauté est retourné à Assise, et ils ont emmené avec eux les derniers enfants. C'est un long voyage.

— Je sais, mon père, dis-je. Je suis allé à Assise, j'ai prié au tombeau de saint François. Dites-moi, mon père, quand vous me regardez, voyez-vous des anges autour de moi ?

— Pourquoi verrais-je des anges ? » demanda-t-il tranquillement. Il leva les yeux vers Ursula. « Je vois de la beauté. Je vois la jeunesse pétrifiée dans l'ivoire poli. Mais je ne vois pas d'anges. Je n'en ai jamais vu.

— Je les ai vus une fois, dis-je. Puis-je m'asseoir ?

— Faites comme vous voulez », me dit-il. Il nous observa, carré sur sa simple chaise de bois dur, tandis que je m'asseyais en face de lui, reproduisant la situation qui avait été la nôtre cet autre jour au village, sauf qu'à présent nous n'étions plus sous un arbre, au soleil de midi, mais à l'intérieur de l'auberge où la lumière de la chandelle dessinait un volume chaleureux.

Ursula leva vers moi des yeux perplexes. Elle ne savait pas ce que j'avais en tête. Je ne l'avais jamais vue parler à aucun être humain, excepté moi-même et les enfants avec qui elle jouait — en d'autres termes, seulement avec ceux qui avaient touché son cœur et qu'elle n'entendait pas détruire.

Ce qu'elle pensait du vieil elfe et de son fils, le prêtre franciscain, je n'en avais pas la moindre idée.

Le vieil homme gagnait sa réussite. « Là, tu vois, je te l'avais dit. La chance ! » dit-il. Il rassembla ses cartes graisseuses et ramollies pour les battre et recommencer une partie.

Le prêtre le regarda d'un œil vitreux, comme s'il ne pouvait rassembler ses esprits, même pour tromper ou rassurer son vieux père, puis il me dévisagea.

« J'ai vu ces anges à Florence, dis-je, et je les ai déçus, j'ai rompu mes engagements envers eux, j'ai perdu mon âme. »

Il se tourna brusquement vers moi.

« Pourquoi prolongez-vous ceci ? demanda-t-il.

— Je ne vous ferai pas de mal. Ni ma compagne », dis-je. Je soupirai. C'était à ce stade de la conversation que j'aurais normalement pris ma coupe ou le pichet, et bu. La faim me tenaillait. Je me demandais si Ursula souffrait de la soif. Je contemplai le vin du prêtre, qui n'était plus rien pour moi à présent, puis je regardai son visage, où la sueur luisait à la lumière de la chandelle, et je poursuivis :

« Je veux que vous sachiez que je les ai vus, que je leur ai parlé, à ces anges. Ils ont essayé de m'aider à détruire les monstres qui tenaient cette ville sous leur coupe et les âmes de ceux qui y vivaient. Je veux que vous le sachiez, mon père.

— Mais pourquoi, mon fils, pourquoi me raconter cela ?

— Parce qu'ils étaient beaux, parce qu'ils étaient aussi réels que nous le sommes, et que vous nous avez vus. Vous avez vu des choses diaboliques ; vous avez vu la fainéantise et la traîtrise, la couardise et la tromperie. Vous voyez des diables à présent, des vampires. Eh bien, je veux que vous sachiez que, de mes propres yeux, j'ai vu des anges, de vrais anges, magnifiques, et qu'ils étaient plus éclatants que je ne pourrai jamais vous le dire par des mots. »

Il me dévisagea pensivement pendant un long moment, puis il regarda Ursula qui me contemplait, embarrassée, craignant que je ne m'infligeasse des épreuves inutiles, puis il dit :

« Pourquoi avez-vous échoué alors ? Pourquoi sont-ils venus à vous, pour commencer, et, si vous aviez l'aide d'anges, comment avez-vous pu échouer ? »

Je haussai les épaules. Je souris. « Par amour. »

Il ne répondit pas.

Ursula posa la tête contre mon bras. Je sentis ses cheveux caresser mon dos tandis qu'elle me faisait éprouver son poids.

« Par amour ! répéta le prêtre.

— Oui, et aussi par sens de l'honneur.

— Honneur.

— Personne ne le comprendra. Dieu ne l'acceptera pas, mais c'est vrai, et maintenant, qu'y a-t-il, mon père, qui nous sépare, vous et moi, et la femme qui m'accompagne ? Qu'y a-t-il entre nous — les deux parties —, le prêtre honnête et les deux démons ? »

Le petit homme gloussa soudain. Il venait d'étaler une donne miraculeuse. « Regardez ça ! » dit-il. Il leva vers moi ses petits yeux malins. « Oh ! votre question, excusez-moi. Je connais la réponse.

— Vraiment ? demanda le prêtre en se tournant vers le vieil homme. Tu connais la réponse ?

— Bien sûr que oui », répondit son père. Il tira une nouvelle carte. « Ce qui les sépare à présent d'une bonne confession est leur faiblesse et leur crainte de l'Enfer, s'ils devaient renoncer à la vie. »

Le prêtre considéra son père avec stupéfaction.

Moi aussi.

Ursula ne dit rien. Puis elle m'embrassa sur la joue. « Partons à présent, murmura-t-elle. Il n'y a plus de Santa Maddalena. Allons-y. »

Je levai les yeux, parcourant la pièce obscure de l'auberge. Je regardai les vieilles barriques. Je contemplai avec une perplexité hagarde et un chagrin navré tous les objets dont les êtres humains se servaient. Je regardai les lourdes mains du prêtre, repliées sur la table devant moi. J'observai les poils sur ses mains, puis je levai les yeux vers ses lèvres épaisses et ses grands yeux humides et pleins de chagrin.

« Accepterez-vous cela de ma part ? murmurai-je. Ce secret, à propos des anges ? Que je les ai vus ! Moi ! Et vous, vous voyez ce que je suis, et vous savez donc que je sais ce dont je parle. J'ai vu leurs ailes, j'ai vu leurs auréoles, j'ai vu leurs visages blancs, et j'ai vu l'épée de Mastema le puissant, et ce sont eux qui m'ont aidé à mettre à sac le château et à massacrer tous les démons, sauf celui-ci, cette jeune fiancée, qui est mienne.

— Jeune fiancée », murmura-t-elle. Cela la ravissait. Elle me regarda d'un air songeur et fredonna un air mélancolique des temps anciens, une de ces cantilènes d'autrefois.

Elle s'adressa à moi dans un murmure pressant et persuasif, serrant mon bras en même temps :

« Viens, Vittorio, laisse ces hommes en paix, et viens avec moi. Je te dirai à quel point j'étais une jeune fiancée. » Elle dévisagea le prêtre avec une animation renouvelée. « J'en étais une, tu sais. Ils sont venus au château de mon père et m'ont achetée en tant que telle. Ils disaient que je devais être vierge, et les sages-femmes sont venues avec leur bassine d'eau chaude, elles m'ont examinée et m'ont déclarée vierge, et c'est alors seulement que Florian m'a prise. J'étais sa fiancée. »

Le prêtre la contemplait fixement, comme s'il était incapable de bouger malgré sa volonté, tandis que le vieil homme ne faisait que lancer des coups d'œil de temps à autre, joyeusement, hochant la tête en même temps qu'il l'écoutait, tout en continuant à manipuler ses cartes.

« Pouvez-vous imaginer mon horreur ? » leur demanda-t-elle. Elle me dévisagea, rejetant ses cheveux sur ses épaules. Ils ondulaient à nouveau à cause des tresses qu'elle avait portées auparavant. « Pouvez-vous imaginer mon horreur quand j'ai grimpé sur le lit et que j'ai découvert mon fiancé, cette créature blanche, cette créature morte, pareille à ce que vous voyez devant vous ? »

Le prêtre ne répondit rien. Ses yeux s'emplirent lentement de larmes. De larmes !

C'était un adorable spectacle d'humanité, pacifique, cristallin, et un tel ornement pour son doux vieux visage, avec ses bajoues et sa bouche charnue.

« Puis être emmenée dans une chapelle en ruine, dit-elle, une ruine pleine d'araignées et de cafards, et là, devant un autel profané, être dévêtue, couchée, prise par lui, unie à lui ! »

Elle s'échappa de mes bras et décrivit de ses mains un large geste enveloppant. « Oh, j'avais un voile, un voile immense et magnifique, et une robe de fine soie fleurie. Tout cela, il l'a arraché, et m'a prise, d'abord avec son membre sans vie, infertile, puis avec ses crocs, semblables aux crocs que je possède à présent. Oh, ce mariage, et mon père m'avait livrée à ça ! »

Les larmes roulèrent sur les joues du prêtre.

Je la contemplai, cloué par le chagrin et la rage, la rage contre un démon que j'avais déjà massacré, une rage dont j'espérais qu'elle pourrait se glisser parmi les charbons ardents de l'Enfer et le tenailler telle une paire de pinces rougies.

Je ne dis rien.

Elle haussa le sourcil ; elle pencha la tête.

« Il s'est lassé de moi, dit-elle. Mais il n'a jamais cessé de m'aimer. Il était nouveau à la cour du Graal rubis, un jeune seigneur qui cherchait tous les moyens d'accroître sa puissance et le nombre de ses conquêtes ! Plus tard, quand j'ai demandé la vie de Vittorio, il ne pouvait pas me la refuser, à cause des vœux que nous avions échangés sur cet autel de pierre il y avait bien longtemps. Après avoir laissé partir Vittorio, après l'avoir précipité à Florence, certain de sa folie et de sa dégradation, Florian m'a chanté des chansons, des odes à une fiancée. Il a chanté les vieux poèmes comme si notre amour pouvait être ranimé. »

J'ai couvert mon front de ma main droite. Je ne pouvais supporter de pleurer les larmes de sang qui coulent de nous. Je ne pouvais supporter de voir devant moi, comme peinte par Fra Filippo, cette idylle qu'elle décrivait.

Ce fut le prêtre qui prit la parole.

« Vous êtes des enfants », dit-il. Ses lèvres tremblaient. « Rien que des enfants.

— Oui », dit-elle de sa voix exquise, avec fermeté et un petit sourire d'assentiment. Elle serra ma main gauche entre les siennes et la frotta durement et tendrement. « Des enfants à tout jamais. Mais il n'était qu'un jeune homme, Florian, rien qu'un jeune homme, lui-même.

— Je l'ai vu une fois, dit le prêtre, la voix étranglée par les sanglots, mais douce. Une seule fois.

— Et vous saviez ? demandai-je.

— Je savais que j'étais impuissant, que ma foi était désespérée, et qu'autour de moi il y avait des liens que je ne pouvais défaire ni briser.

— Allons-y maintenant, Vittorio, cesse de le faire pleurer. Nous avons besoin de sang ce soir et ne pouvons songer à leur faire du mal, ne pouvons même...

— Non, amour, jamais, lui dis-je. Mais acceptez mon cadeau, mon père, la seule chose propre que je puisse donner, mon témoignage sur les anges que j'ai vus et sur le fait qu'ils m'ont soutenu quand j'étais faible.

— Et vous, acceptez mon absolution, Vittorio ! » dit-il. Sa voix s'éleva et sa poitrine sembla enfler. « Vittorio et Ursula, recevez mon absolution.

— Non, mon père, dis-je. Nous ne pouvons la recevoir. Nous ne la voulons pas.

— Mais pourquoi ?

— Parce que, mon père, dit doucement Ursula, nous projetons de pécher aussitôt que nous le pourrons. »

14

À TRAVERS LE MIROIR

Elle ne mentait pas.

Nous gagnâmes cette nuit-là la maison de mon père. Ce voyage n'était rien pour nous, mais il était très long pour un mortel, et le bruit n'avait pas encore atteint ce coin reculé que la menace des démons de la nuit, les vampires de Florian, avait disparu. En vérité, le plus probable était que mes fermes étaient restées à l'abandon à cause des récits épouvantables colportés de bouche à oreille par ceux qui avaient fui Santa Maddalena, voyageant par monts et par vaux.

Il ne me fallut pas longtemps pour m'apercevoir, cependant, que le vaste château de ma famille était occupé. Une troupe de soldats et d'employés avait durement travaillé.

Lorsque nous nous glissâmes par-dessus la haute muraille, bien après minuit, nous découvrîmes que tous les morts de ma famille avaient été proprement enterrés, ou déposés dans le caveau qui leur avait été destiné sous la chapelle, et que les biens de la maison, toutes ses immenses richesses, avaient été emportés. Seuls restaient quelques chariots d'un convoi qui avait déjà dû s'ébranler en direction du sud.

Ceux qui dormaient dans les bureaux de l'intendant de mon père étaient des employés aux écritures de la banque Médicis, et, sur la pointe des pieds, dans la faible lumière d'un ciel constellé d'étoiles, j'examinai les quelques papiers qu'ils avaient mis à sécher.

Tout l'héritage de Vittorio di Raniari avait été rassemblé et catalogué, et il était transféré à Florence pour son compte, afin d'être placé sous la garde de Cosme jusqu'au jour où Vittorio di Raniari atteindrait l'âge de vingt-quatre ans et pourrait donc assumer ses responsabilités d'homme adulte.

Seuls quelques soldats dormaient dans la caserne. Seuls quelques chevaux étaient stationnés dans les écuries. Seuls quelques écuyers et serviteurs dormaient à proximité de leur seigneur.

Manifestement, le grand château n'étant d'aucune utilité stratégique ni aux Milanais, ni aux Allemands, ni aux Français, ni aux troupes pontificales, ni à Florence, il n'allait pas être restauré ni réparé, mais simplement fermé.

Bien avant l'aube, nous quittâmes ma maison, mais avant de partir, je pris congé de la tombe de mon père.

Je savais que je reviendrais. Je savais que bientôt les arbres escaladeraient la montagne jusqu'à la muraille. Je savais que l'herbe pousserait haute à travers les fentes et les interstices du pavage. Je savais que tout ce qu'il y avait d'humain perdrait l'amour de ce lieu, comme il avait perdu l'amour de tant de ruines dans le pays environnant.

Alors, je reviendrais. Je reviendrais.

Ce soir-là, Ursula et moi hantâmes le voisinage à la recherche des quelques brigands que nous pourrions trouver rôdant dans les bois, riant de bon cœur quand nous les attrapions et les tirions à bas de leurs chevaux. Ce fut un banquet exubérant.

« Et où allons-nous maintenant, mon seigneur ? » me demanda ma fiancée vers le matin. Nous avions de nouveau trouvé une grotte en guise d'abri, un lieu reculé et masqué, plein de lianes épineuses qui griffaient à peine notre peau élastique, derrière un voile de mûres sauvages qui nous cacherait à tous les yeux, y compris à ceux du grand soleil levant.

« À Florence, mon amour. Il faut que j'aille là-bas. Dans ses rues, nous ne souffrirons jamais de la faim, ni ne serons découverts, et il y a des choses que je dois voir de mes propres yeux.

— Mais quelles choses, Vittorio ? demanda-t-elle.

— Des peintures, mon amour, des peintures. Il faut que

je voie les anges des peintures. Il faut que je... les affronte, pour ainsi dire. »

Elle était satisfaite. Elle n'avait jamais vu la grande ville de Florence. Durant toute sa misérable éternité de rites et de discipline de cour, elle était restée captive des montagnes, et elle reposait à mes côtés, rêvant de liberté, de brillantes teintes de bleu, de vert et d'or, si opposées au rouge sombre qu'elle avait toujours porté. Elle reposait à mes côtés, confiante, et, pour ma part, je n'avais confiance en rien.

Je léchai seulement le sang humain sur mes lèvres et me demandai combien de temps il me restait à passer sur cette terre avant que quelqu'un ne me tranchât la tête d'un coup d'épée rapide et précis.

15

L'Immaculée Conception

La ville de Florence était pleine de tumulte.

« Pourquoi ? » demandai-je.

Le couvre-feu était largement passé, ce à quoi personne ne prêtait grande attention, et il y avait une énorme foule d'étudiants rassemblée dans Sainte-Marie-Majeure — la cathédrale — pour écouter une conférence donnée par un humaniste qui soutenait que Fra Filippo Lippi n'était pas le porc qu'on disait.

Personne ne fit grande attention à nous. Nous nous étions nourris plus tôt, à la campagne. Nous portions de lourds manteaux, et que pouvaient-ils voir de nous sinon un peu de chair pâle ?

J'entrai dans l'église. La foule la remplissait presque jusqu'aux portes.

« Que se passe-t-il ? Qu'est-il arrivé au grand peintre ?

— Oh, il l'a fait cette fois-ci ! » dit l'homme qui me répondit, sans même prendre la peine de nous regarder, ni moi, ni la mince silhouette d'Ursula qui se tenait à mes côtés.

L'homme était trop absorbé par la vue de l'orateur qui se tenait debout, sa voix résonnant sèchement dans l'immense nef.

« Fait quoi ? »

N'obtenant pas de réponse, je m'enfonçai un peu plus dans l'épaisse et odorante foule humaine, tirant Ursula derrière moi. Elle était toujours intimidée par l'immensité de la ville et n'avait jamais vu une cathédrale d'une taille pareille durant les deux cents ans et quelques qu'elle avait vécus.

Une fois de plus, je posai ma question à deux jeunes étudiants, qui se retournèrent aussitôt pour me répondre. C'étaient tous deux des jeunes gens à la mode, d'environ dix-huit ans, c'est-à-dire ce que l'on appelait alors à Florence des *giovani* — à savoir l'âge le plus difficile . trop vieux pour être des enfants, comme moi, et trop jeunes pour être des hommes.

« Eh bien, il a demandé à ce que la plus belle des sœurs pose pour la Vierge Marie du tableau d'autel qu'il peignait, voilà ce qu'il a fait », dit le premier étudiant, un jeune homme aux cheveux noirs et aux yeux caves, en me dévisageant avec un sourire malin. « Il l'a demandée pour modèle, a demandé que le couvent la choisisse pour lui, afin que la Vierge peinte soit des plus parfaites, et puis... »

L'autre étudiant prit la suite.

« ... il s'est enfui avec elle ! Il l'a arrachée au couvent, s'est enfui avec elle et sa sœur, rendez-vous compte, sa propre sœur de sang, et a installé son ménage juste au-dessus de son atelier, lui, sa nonne et la sœur, tous les trois, le moine et les deux nonnes... et il vit dans le péché avec elle, Lucrezia Buti, et peint la Vierge sur le tableau d'autel et se contrefiche de ce qu'en pensent les gens. »

Il y eut une bousculade dans la foule qui nous entourait. Des hommes nous dirent de faire silence. Les étudiants hoquetaient de rire.

« S'il n'y avait pas Cosme, dit le premier étudiant, baissant la voix en un murmure obéissant mais espiègle, ils le pendraient ; sa famille, les Buti, le ferait en tout cas, sinon tous les prêtres de l'ordre des carmélites, sinon toute la satanée ville. »

L'autre étudiant secoua la tête et porta la main à sa bouche pour ne pas éclater bruyamment de rire.

L'orateur, loin devant, conseilla à tous de rester calmes et de laisser les autorités compétentes traiter ce scandale, car chacun savait que nulle part à Florence il n'y avait de peintre aussi grand que Fra Filippo Lippi, et que Cosme ferait le nécessaire le moment venu.

« Il a toujours été tourmenté, dit l'étudiant qui était à côté de moi.

— Tourmenté, murmurai-je. Tourmenté. » Son visage me revint, celui du moine que j'avais aperçu des années auparavant dans la maison de Cosme, Via Larga, l'homme qui réclamait avec une telle sauvagerie d'être libre, de pouvoir passer seulement un peu de temps avec une femme. J'éprouvais le plus étrange des conflits intérieurs, la plus étrange des craintes obscures. « Oh, pourvu qu'ils ne le blessent pas de nouveau !

— On pourrait s'interroger », fit une voix douce à mon oreille. Je me retournai, mais ne vis personne qui aurait pu me parler. Ursula regarda autour d'elle.

« Que se passe-t-il, Vittorio ? »

Mais je connaissais ce chuchotement, et il revint, incorporel et intime. « On pourrait s'interroger sur ce que faisaient ses anges gardiens le jour où Fra Filippo s'est livré à pareille folie... »

Je me retournai en pivotant farouchement sur moi-même, cherchant l'origine de la voix. Les gens s'écartèrent en faisant de petits signes d'impatience. J'attrapai la main d'Ursula et me dirigeai vers la porte.

Ce n'est qu'une fois sorti sur la piazza que mon cœur cessa de battre à tout rompre. J'ignorais qu'avec ce sang nouveau je pusse éprouver pareille inquiétude, pareil désarroi, pareille crainte.

« Oh, enfui avec une nonne pour peindre la Vierge ! m'exclamai-je à mi-voix.

— Ne pleure pas, Vittorio, dit-elle.

— Ne me parle pas comme si j'étais ton petit frère ! » rétorquai-je, puis je fus plein de honte. Elle avait été frappée par mes paroles, comme si je l'avais giflée. Je pris ses doigts et les embrassai. « Je suis désolé, Ursula, je suis désolé. »

Je l'entraînai.

« Mais où allons-nous ?

— À la maison de Fra Filippo, à son atelier. Ne m'interroge pas maintenant. »

Quelques instants plus tard, nous avions trouvé notre chemin, faisions sonner nos pas dans les étroites ruelles, et nous arrivâmes devant les portes qui étaient fermées. Je ne vis pas de lumières, si ce n'est aux fenêtres du deuxième étage, comme s'il avait dû s'enfuir tout là-haut avec sa fiancée.

Nulle foule n'était rassemblée là.

Mais de la pénombre une poignée d'ordures fut soudain projetée contre les portes verrouillées, puis une autre, puis une volée de pierres. Je reculai, protégeant Ursula, tandis qu'un passant après l'autre s'avançait furtivement pour lancer ses insultes à l'atelier.

Finalement, j'allai m'adosser au mur opposé, fixant l'obscurité, et j'entendis la puissante cloche de l'église sonner onze heures, ce qui signifiait certainement que tous les habitants devaient rentrer chez eux.

Ursula attendait simplement mon signal sans rien dire, et, tranquillement, elle le repéra quand je levai les yeux et vis s'éteindre la dernière des lumières de Fra Filippo.

« C'est ma faute, dis-je. Je lui ai emprunté ses anges, et il s'est livré à cette folie. Et pourquoi l'ai-je fait, pourquoi, pour pouvoir te posséder aussi certainement maintenant qu'il possède sa nonne ?

— Je ne comprends pas ce que tu dis, Vittorio, dit-elle. Que représentent les nonnes et les prêtres pour moi ? Je n'ai jamais prononcé de paroles qui puissent te blesser, jamais, mais je vais le faire maintenant. Ne reste pas ici à pleurer sur ces mortels que tu as aimés. Nous sommes unis désormais, et nul vœu conventuel ou sacrement sacerdotal ne peut nous diviser. Éloignons-nous d'ici, et quand tu voudras me montrer à la lumière des lampes les merveilles de ce peintre, emmène-moi alors, emmène-moi voir ces anges dont tu m'as parlé, représentés par l'huile et les pigments. »

Sa fermeté me calma. J'embrassai à nouveau sa main. Je lui dis que j'étais désolé. Je la serrai contre mon cœur.

Combien de temps j'avais pu rester là en sa compagnie, je l'ignore. Quelques instants passèrent. J'entendis un bruit d'eau courante et des pas au loin, mais rien de significatif, rien qui importât dans la nuit épaisse de la populeuse Florence, avec ses palais de quatre ou cinq étages, ses vieilles tours branlantes, ses églises et ses milliers et milliers d'âmes endormies. Une lumière me surprit. Elle tomba sur moi en vifs rayons jaunes. Je vis le premier, une fine ligne brillante. Il traversa la silhouette d'Ursula, puis un autre vint, qui illumina la ruelle derrière nous, et je me rendis compte que les lampes avaient été rallumées dans l'atelier de Fra Filippo.

Je me retournai au moment même où les verrous étaient tirés avec un grincement profond. Le bruit résonna entre les murs sombres. Aucune lumière n'apparut au-dessus, derrière les fenêtres closes.

Soudain, les portes furent ouvertes et repliées doucement contre les murs, presque sans un bruit, et j'aperçus le profond rectangle de l'intérieur, une large pièce pleine de toiles brillantes qui flamboyaient toutes à la lueur des chandelles assez nombreuses pour illuminer une messe d'archevêque.

J'en eus le souffle coupé. Je serrai Ursula contre moi, la main posée sur sa nuque tandis que je lui montrais :

« Elles sont là toutes les deux, les *Annonciation* ! murmurai-je. Vois-tu les anges, les anges qui sont agenouillés, là, et là, les anges qui sont agenouillés devant les Vierges !

— Je les vois, dit-elle avec vénération. Ah, ils sont encore plus adorables que je ne l'imaginais. » Elle saisit mon bras. « Ne pleure pas, Vittorio, à moins que ce ne soit devant la beauté, pour cela tu peux.

— Est-ce un ordre, Ursula ? » demandai-je. Mes yeux étaient si embués que je voyais à peine les plates silhouettes agenouillées de Ramiel et de Setheus.

Mais alors que j'essayais d'accommoder ma vue, en même temps que j'essayais de rassembler mes esprits et d'avaler la boule que j'avais dans la gorge, le miracle que je redoutais par-dessus tout dans ce monde, tout en le désirant, le convoitant, ce miracle commença.

De la toile même des tableaux, ils se détachèrent simultanément, mes anges blonds vêtus de soie, mes anges auréolés, pour se libérer du support lui-même. Ils se retournèrent, me contemplèrent un instant, puis se relevèrent, si bien qu'ils n'étaient plus des profils plats, mais des silhouettes solides et pleines, et ils sortirent alors du cadre et prirent pied sur le pavage de pierre de l'atelier.

Je compris, devant l'air médusé d'Ursula, qu'elle avait vu le même enchaînement frappant de gestes miraculeux. Elle porta la main à ses lèvres.

Leurs visages ne montraient nulle colère, nulle tristesse. Ils me dévisageaient simplement, et leurs douces boucles lisses recelaient toute la condamnation que j'aie jamais comprise.

« Punissez-moi, murmurai-je. Punissez-moi en me privant de mes yeux afin que jamais je ne revoie votre beauté ! »

Très lentement, Ramiel secoua la tête pour me dire non. Et Setheus le suivit avec la même négation. Pieds nus, ils se tenaient côte à côte, comme toujours, leurs abondants vêtements trop légers pour se mouvoir dans l'air lourd, tandis qu'ils continuaient simplement de me contempler.

« Alors quoi ? demandai-je. Que mérité-je de votre part ? Comment se fait-il que je puisse vous voir et voir votre gloire encore maintenant ? » J'étais à nouveau une épave en larmes, peu importaient les regards que me lançait Ursula, peu importaient ses efforts pour réveiller l'homme en moi par ses reproches silencieux.

Je ne pouvais m'arrêter.

« Alors quoi ? Comment puis-je encore vous voir ?

— Tu nous verras toujours, dit Ramiel d'une voix douce, presque atone.

— Chaque fois que tu regarderas une de ses peintures, tu nous verras, dit Setheus, ou tu verras notre semblable. »

Il n'y avait aucun jugement là-dedans. Il y avait simplement la même adorable sérénité et la même gentillesse qu'ils m'avaient toujours témoignées.

Mais je n'en avais pas terminé. Je vis derrière eux, prenant une sombre forme, mes propres gardiens, cette solennelle paire au visage d'ivoire, drapés dans leurs habits d'un bleu moiré.

Comme leurs yeux étaient durs, comme ils étaient pénétrants ! Comme ils étaient méprisants, mais sans la dureté que les hommes mettent dans ces passions. Comme ils étaient froids et lointains !

Mes lèvres s'écartèrent. Un cri était là. Un cri terrible. Mais je n'osais pas agiter la nuit autour de moi, la nuit infinie qui passait au-dessus des milliers de toits de tuile penchés, au-dessus des collines et de la campagne, au-dessous des étoiles innombrables.

Soudain le bâtiment tout entier se mit à bouger. Il trembla, et les toiles, brillantes et luisantes dans leur bain de lumière incandescente, flamboyèrent comme agitées par un tremblement de terre.

Mastema apparut alors devant moi, et la pièce en fut brutalement secouée, élargie, approfondie, et tous ces anges mineurs furent balayés loin de lui comme par un vent silencieux qui ne pouvait être défié.

Le flot de lumière allumait ses immenses ailes d'or quand elles se déployaient, envahissant jusqu'aux derniers recoins de l'immensité et lui procurant une dimension encore accrue, et le rouge de son casque flamboyait comme s'il avait été chauffé à l'écarlate. Il sortit son épée de son fourreau.

Je reculai, tirai Ursula derrière moi et la poussai contre le mur froid et humide, et je la retins là, prisonnière, derrière moi, la protégeant autant qu'il m'était possible de le faire, ici, sur cette terre, étendant les bras afin qu'elle ne puisse m'être enlevée — il n'en était absolument pas question.

« Ah », dit Mastema, hochant la tête, souriant. L'épée fut levée. « Alors, maintenant encore tu préférerais aller en Enfer plutôt que de la voir mourir !

— Oui, m'écriai-je. Je n'ai pas le choix.

— Oh, si ! tu as le choix.

— Non, pas elle, ne la tuez pas. Tuez-moi, et expédiez-moi là-bas, oui, mais laissez-lui une chance... »

Ursula sanglotait contre mes épaules, ses mains agrippant mes cheveux, les empoignant, comme s'ils pouvaient la mettre en sécurité.

« Finissons-en maintenant, dis-je. Allez-y, coupez-moi la tête et envoyez-moi à mon jugement devant le Seigneur afin que je puisse intercéder pour elle ! S'il vous plaît, Mastema, faites-le, mais ne la frappez pas. Elle ne sait pas comment demander pardon. Pas encore ! »

Brandissant l'épée, il tendit le bras, m'attrapa au col et me tira vers lui. Il me tint sous son visage et m'incendia de ses yeux flamboyants.

« Et quand saura-t-elle ? Et toi ? »

Que pouvais-je dire ? Que pouvais-je faire ?

« Je vais t'apprendre, Vittorio, dit Mastema d'un sourd murmure rageur. Je vais t'apprendre afin que tu saches comment implorer le pardon chaque nuit de ton existence. Je vais t'apprendre. »

Je me sentis soulevé, je sentis mes vêtements emportés par le vent, je sentis les petites mains d'Ursula qui se cramponnaient à moi et le poids de sa tête sur mon dos.

Nous étions traînés à travers les rues et, soudain, apparut devant nous une vaste foule de mortels oisifs qui sortaient de chez un marchand de vin, ivres et rieurs, une vaste confusion de visages congestionnés et de sombres vêtements froissés par le vent.

« Tu les vois, Vittorio ? Tu vois ceux dont tu te nourris ? demanda Mastema.

— Je les vois, Mastema ! » répondis-je. Je cherchais la main d'Ursula, essayant de la trouver, de la tenir, de la protéger. « Je les vois, oui.

— En chacun d'entre eux, Vittorio, il y a ce que je vois en toi, et en elle, une âme humaine. Sais-tu ce que c'est, Vittorio ? Peux-tu l'imaginer ? »

Je n'osais pas répondre.

La foule se répandit sur la piazza nimbée par le clair de lune et se rapprocha de nous en même temps qu'elle se désagrégeait.

« Une étincelle de la puissance qui nous a tous créés se trouve en chacun d'eux, lança Mastema, une étincelle de l'invisible, du subtil, du sacré, du mystère, une étincelle de ce qui a créé toutes choses.

— Ah, Seigneur ! m'écriai-je. Regarde-les, Ursula, regarde ! »

Car chacun d'entre eux, homme ou femme, jeune ou vieux, peu importait, avait acquis un puissant éclat nébuleux et doré. Une lumière émanait de chaque silhouette et la baignait, faisant d'elle un subtil corps de lumière façonné selon la forme de l'être humain qui s'y mouvait, inconscient de celui-ci, et la place tout entière était inondée par cette lumière dorée.

Je baissai les yeux vers mes propres mains. Elles aussi étaient nimbées de ce subtil corps éthéré, de ce rayonnement adorable et de cette présence lumineuse, de ce feu précieux et insatiable.

Je fis demi-tour, mes vêtements s'empêtrant autour de moi, et vis cette flamme envelopper Ursula. Je la vis qui vivait et respirait à l'intérieur d'elle et, me retournant vers la foule, je vis à nouveau que chacun d'entre eux vivait et respirait en elle, et je sus soudain, je compris parfaitement que je la verrais toujours. Je ne verrais jamais plus les êtres humains, qu'ils fussent monstrueux ou vertueux, sans cet enveloppant et aveuglant feu de l'âme.

« Oui, murmura Mastema à mon oreille. Oui. À tout jamais, et chaque fois que tu te nourriras, chaque fois que tu porteras l'un de leurs tendres cous à tes crocs maudits, chaque fois que tu suceras le sang vermillon qui t'est nécessaire, comme aux pires des animaux de la Création, tu verras cette lumière vaciller et lutter, et quand le cœur s'arrêtera par l'effet de ta faim, tu verras cette lumière s'éteindre ! »

Je m'arrachai à son étreinte. Il me laissa partir.

Tenant Ursula par la main, je m'enfuis. Je courus à en perdre haleine vers l'Arno, vers le pont, vers les tavernes qui pouvaient encore être ouvertes, mais bien avant de voir les flammes éclatantes des âmes qui s'y trouvaient, je vis leurs lueurs à des centaines de fenêtres, je vis les lueurs des âmes filtrer des portes verrouillées.

Je les vis, et sus qu'il avait dit la vérité. Je les verrais toujours. Je verrais toujours l'étincelle du Créateur dans chaque vie humaine que je rencontrerais, et dans chaque vie humaine que je prendrais.

Atteignant la rivière, je me penchai par-dessus le parapet

de pierre et criai. Je criai et laissai mes cris résonner sur l'eau et contre les murs de la rive opposée. J'étais fou de douleur, quand un enfant, un bambin, s'approcha de moi dans l'obscurité, un petit mendiant déjà versé dans l'art de demander du pain, une pièce, n'importe quelle aumône qu'un homme voudrait bien lui accorder, et il reluisait, il crépitait, il étincelait et dansait d'une lumière brillante et inestimable.

16

Et les ténèbres
ne le saisirent point

Au fil des ans, chaque fois que je vis l'une des magnifiques créations de Fra Filippo, les anges reprirent vie pour moi. Cela ne durait jamais qu'un instant, à peine le temps d'un serrement de cœur au cours duquel mon sang refluait en moi, comme s'il y avait été aspiré.

Mastema lui-même ne fit son apparition dans l'œuvre de Fra Filippo que quelques années plus tard, alors que celui-ci, luttant et argumentant comme toujours, travaillait pour Pierre, le fils de Cosme, qui avait rejoint la terre.

Fra Filippo ne renonça jamais à sa chère nonne, Lucrezia Buti, et l'on disait de Filippo que chaque Vierge qu'il peignait — et elles étaient nombreuses — portait le beau visage de Lucrezia. Lucrezia donna un fils à Fra Filippo, un peintre qui prit le nom de Filippino, et son œuvre aussi fut pleine de magnificence et pleine d'anges, et ces anges aussi croisèrent mon regard, toujours, ne fût-ce qu'un instant, quand j'allais me prosterner devant ces toiles, triste et le cœur brisé, craintif et plein d'amour.

En 1469, Filippo mourut dans la ville de Spolète, et là s'acheva la vie de l'un des plus grands peintres que le monde ait connu. C'était l'homme qui avait été mis au chevalet pour escroquerie ; c'était l'homme qui peignait Marie comme la Vierge effarouchée, comme la Madone de la nuit de Noël, comme la Reine des Cieux, comme la Reine de tous les Saints.

Et moi, cinq cents ans plus tard, je ne me suis jamais trop

éloigné de cette ville qui a donné naissance à Filippo et à cette époque que nous appelons l'âge d'or.

L'or. C'est ce que je vois quand je vous regarde.

Je vois l'or céleste flamboyant que Mastema m'a révélé. Je le vois vous entourer et vous contenir, vous nimber et danser avec vous, bien que vous-mêmes ne puissiez pas le voir, ni même vous en soucier.

Depuis ma tour en Toscane, ce soir, je contemple la campagne, et très loin, au plus profond des vallées, je vois l'or des êtres humains, je vois la vitalité rayonnante des âmes vivantes.

Vous connaissez donc mon histoire.

Qu'en pensez-vous ?

Ne voyez-vous pas là un étrange conflit ? Ne voyez-vous pas comme un dilemme ?

Laissez-moi vous le présenter ainsi.

Souvenez-vous du moment où je vous ai raconté comment mon père et moi chevauchions ensemble à travers bois en parlant de Fra Filippo, quand mon père m'avait demandé ce qui m'intéressait chez ce moine. J'avais répondu que c'était la lutte intérieure et une nature divisée chez Filippo qui m'attiraient ainsi, et que de cette nature divisée, de ce conflit, surgissait un tourment dans les visages qu'il peignait.

Filippo abritait une tempête en lui. Moi aussi.

Mon père, homme à l'esprit pondéré et aux pensées plus simples, avait souri à cette idée.

Mais que cela signifie-t-il en relation avec ce récit ?

Oui, je suis un vampire, comme je vous l'ai dit ; je suis une créature qui se nourrit de la vie mortelle. J'existe tranquillement, paisiblement sur ma terre natale, dans les ombres profondes de mon château natal, et Ursula est avec moi comme toujours, et cinq cents ans ne sont pas longs pour un amour aussi fort que le nôtre.

Nous sommes des démons. Nous sommes damnés. Mais n'avons-nous pas vu et compris des choses, n'ai-je pas écrit des choses qui sont précieuses pour vous ? N'ai-je pas dépeint un conflit plein de brillant et de couleurs, non sans rapport avec les œuvres de Filippo ? N'ai-je pas brodé, entrelacé et doré, n'ai-je pas saigné ?

Regardez mon histoire et dites-moi qu'elle ne vous inspire rien. Je ne vous croirais pas si vous me le disiez.

Et quand je repense à Filippo et à son viol de Lucrezia, et à tous ses autres péchés orageux, comment puis-je les séparer de la magnificence de ses tableaux ? Comment puis-je séparer la violation de ses vœux, et ses tromperies, et ses querelles, de la splendeur qu'il a donnée au monde ?

Je ne dis pas que je suis un grand peintre. Je ne suis pas si bête. Mais je dis que, de ma peinture, de ma folie, de ma passion naît une vision, une vision que je porte avec moi éternellement et que je vous offre.

C'est une vision de chaque être humain, débordant de feu et de mystère, une vision que je ne peux nier, ni occulter, ni écarter de ma vue, ni jamais affaiblir, ni jamais oublier.

D'autres parlent de doutes et de ténèbres.

D'autres parlent d'insignifiance et de paix.

Je parle de l'or céleste indéfinissable qui brillera éternellement.

Je parle de la soif de sang qui n'est jamais satisfaite. Je parle de la connaissance et de son prix.

Regardez, je vous le dis, la lumière est là en vous. Je la vois. Je la vois en chacun d'entre nous, et la verrai toujours. Je la vois quand j'ai faim, quand je lutte, quand je massacre. Je la vois vaciller et mourir entre mes mains quand je bois.

Pouvez-vous imaginer ce que ce serait pour moi de vous tuer ?

Priez pour qu'il ne faille jamais un massacre ou un viol pour que vous voyiez la lumière chez ceux qui vous entourent. Plaise au Seigneur qu'on ne vous fasse jamais payer un tel prix. Laissez-moi en payer le prix pour vous.

Quelques repères bibliographiques

Je suis allée à Florence recevoir ce manuscrit des mains de Vittorio di Raniari. C'était ma quatrième visite dans cette ville, et ce fut avec Vittorio que je décidai d'énumérer ici quelques livres à l'intention de ceux d'entre vous qui voudraient en savoir plus sur l'âge d'or florentin et Florence elle-même.

Laissez-moi vous recommander d'abord et avant tout le brillant *Affaires publiques dans la Florence de la Renaissance* de Richard C. Trexler, publié aujourd'hui chez Cornell University Press.

Le professeur Trexler a consacré bien d'autres merveilleux ouvrages à l'Italie, mais ce livre est particulièrement riche et évocateur, en particulier pour moi, parce que les analyses pénétrantes du professeur Trexler concernant Florence m'ont aidée à comprendre ma propre ville de La Nouvelle-Orléans, mieux que tout ce que l'on a pu écrire directement sur La Nouvelle-Orléans elle-même.

La Nouvelle-Orléans, comme Florence, est une ville de spectacles publics, de rites et de festivités, de manifestations de l'esprit communautaire et de la foi. Il est quasiment impossible d'expliquer de manière réaliste La Nouvelle-Orléans, son mardi gras, son St. Patrick's Day et son festival de jazz annuel, à ceux qui n'y sont jamais venus. La brillante érudition du professeur Trexler m'a fourni les outils qui m'ont permis d'ordonner mes pensées et mes observations touchant aux choses que je chéris le plus.

Parmi les autres travaux du professeur Trexler, on peut citer son *Voyage des Rois mages : interprétation historique d'un récit chrétien*, œuvre que j'ai découverte tout récemment. Les lecteurs familiers de mes précédents romans se souviendront peut-être de la relation intense, d'une ferveur blasphématoire, qui unit mon personnage du vampire Armand au tableau florentin *Le Cortège des Rois mages* peint pour Pierre de Médicis par Benozzo Gozzoli, et que l'on peut voir aujourd'hui à Florence dans toute sa splendeur.

Concernant le grand Fra Filippo Lippi, je recommande tout d'abord sa biographie par le peintre Vasari pour son abondance de détails, bien qu'ils ne soient pas toujours authentiques.

Il y a aussi le brillant livre de Gloria Rossi *Filippo Lippi*, publié par Scala, qui est disponible dans de nombreuses traductions à Florence ainsi que dans d'autres villes d'Italie. À ma connaissance, le seul autre ouvrage qui soit entièrement consacré à Filippo est l'immense *Fra Filippo Lippi* de Jeffrey Ruda, sous-titré *La Vie et l'Œuvre, avec un catalogue complet*, publié à Londres par Phaidon Press.

Les meilleurs ouvrages à destination du grand public que j'aie pu lire sur Florence et les Médicis sont ceux de Christopher Hibbert, dont son *Florence : biographie d'une ville*, publié par Norton, et *La Maison des Médicis : grandeur et décadence*, publié par Morrow.

Il y a aussi *Les Médicis de Florence : un portrait de famille*, d'Emma Micheletti, publié par Beccocci Editore. *Les Médicis* de James Cleugh, qui remonte à 1975, est toujours disponible.

Il ne manque pas de livres consacrés à Florence et à la Toscane — récits de voyage, mémoires, livres d'hommage. Les traductions des sources — correspondances, journaux, histoires rédigées du temps de la Renaissance florentine — abondent dans les bibliothèques comme dans les librairies.

Afin de rendre correctement les citations faites par Vittorio de Thomas d'Aquin, j'ai utilisé la traduction de la *Summa theologiae* procurée par les Pères de la Province dominicaine anglaise. Pour saint Augustin, j'ai consulté la traduction de *La Cité de Dieu* par Henry Bettenson.

J'invite les lecteurs à éviter les versions abrégées des œuvres d'Augustin. Augustin vivait dans un monde païen, où les chrétiens les plus orthodoxes continuaient de croire en l'existence démoniaque de dieux païens déchus. Pour comprendre Florence et son idylle du XVe siècle avec les joies et les libertés de l'héritage classique, il faut lire Augustin et Thomas d'Aquin dans l'intégralité de leur contexte.

Pour ceux qui souhaiteraient en savoir plus sur le merveilleux musée du couvent Saint-Marc, il existe d'innombrables ouvrages consacrés à Fra Angelico, le peintre le plus célèbre du monastère, où l'on trouvera des descriptions détaillées du bâtiment, et il y a une abondante bibliographie concernant l'architecture florentine dans son ensemble. Je dois ma gratitude au musée de Saint-Marc non seulement pour avoir si magnifiquement conservé l'œuvre architecturale de Michelozzo, si louée dans ce roman, mais aussi pour les publications disponibles dans sa boutique concernant l'architecture et la peinture du monastère.

Pour finir, permettez-moi d'ajouter ceci : si Vittorio devait citer un enregistrement de musique de la Renaissance qui évoque au mieux l'atmosphère de la grand-messe et de la communion auxquelles il assista à la cour du Graal rubis, ce serait sans aucun doute les *Vêpres de la Toussaint*, musique de requiem de la cathédrale de Cordoue, dans l'interprétation de l'Orchestre de la Renaissance sous la direction de Richard Cheetham — bien que je doive avouer que cette musique est datée des alentours de 1570, soit quelques années après les terribles épreuves de Vittorio. Cet enregistrement est publié par le label Veritas.

En conclusion de ces notes, permettez-moi une ultime citation de *La Cité de Dieu* de saint Augustin.

Car Dieu n'aurait jamais créé un homme, pour ne rien dire d'un ange, dans la prescience de ses maux à venir, s'il n'avait su en même temps quel bon usage il ferait de ces créatures, enrichissant ainsi le cours de l'histoire mondiale par le genre d'antithèse qui confère sa beauté à un poème.

Personnellement, je ne sais pas si Augustin a raison ou non.

Mais je crois ceci : il vaut la peine d'essayer de faire un tableau, ou un roman... ou un poème.

Anne Rice

TABLE